独立志向

昭和のITベンチャー起業家が語る
仕事、家族、そして人生

駒井俊之
KOMAI TOSHIYUKI

幻冬舎MC

独立志向

昭和のＩＴベンチャー起業家が語る仕事、家族、そして人生

はじめに

私は、戦後の復興期に少年時代を過ごし、60年代の高度経済成長期ど真ん中に就職をした「昭和モーレツ社員」世代です。

当時の我々は、今なら「家庭を顧みない」などと批判されそうですが、「仕事と家庭」を天秤にかけて「仕事」を取っていたわけではありません。むしろ、豊かな生活を夢見て、家族のためモーレツに働いていたのが実情です。

今の人たちのように、仕事と生活のバランスを難しく考える必要がない時代だったとも言えますが、仕事一筋に生きることで、まさに充実した家庭を築いてきたのです。

それが可能だったのは、やはり「夢」があったからでしょう。

私たちの世代は、さまざまな技術の発達を間近に感じ、まさに「明日は今日より素晴らしい」と信じながら仕事に邁進してきました。

こうした仕事一筋の歩みを続けるうちに、高度成長期は終わりを告げ、円高不況、バブル景気、そして平成不況と時は移っていったようです。

そうした流れの中で、私自身は、就職した会社の中でいくつかの事業を立ち上げた後、自分の会社を興して、一人のＩＴベンチャー創業者として紆余曲折の歩みを続けることになります。

私の仕事人生のほとんどは、ＩＴ産業の発展とともにありました。

現代人の生活はＰＣやタブレット、スマホなしでは成り立たなくなっていますが、そうした電子機器の制御に欠かせないのがＩＣ（集積回路）です。

私は、真空管の時代から電気回路に親しみ、大学では新設されたばかりの電子工学科に学びました。そして、世の中にトランジスタをはじめとする半導体素子が登場すると同時にそれらに触れ、幸いなことにＩＣから、マイコン、パソコンへというデジタルデバイスの進化とともに仕事人生を歩んできました。

今日のＩＴ産業隆盛の土台にはアイコンやタッチパネルといった「人にやさしい技術」もあると思いますが、私自身それらに真っ先に触れ、そして自らもマイクロバーコードという新技術を世に問うたことがあります。言わば「デジタル時代の第一世代」と名乗ることも許されるのではないかと思います。

さらに近年は、まさに人々の「働き方」をサポートする勤怠管理システムを運営する事業に携わってきました。

平成15年（2003年）に、創業した会社の会長職に退き、経営は二人の息子たちに任せてきましたが、このたび令和2年（2020年）をもって相談役となり、会社をリタイアすることになりました。

本書は、ますます発展するであろうIT社会を担っていくビジネスパーソンの皆さんに、デジタル第一世代の技術者兼経営者が、「仕事中心型ワーク・ライフ・バランス」で夢を追い続けたその経験をもとに、「こんな生き方もある」と自負する説を紹介しようとするものです。

そしてもう一つ、私が生涯持ち続けてきた「独立志向」についても伝えられればと思います。

このささやかな書が、多くの若い人にとってより良き人生を築くいくばくかの参考となり、さらには「夢」を感じ、見つけるきっかけになってくれれば嬉しく思います。

特に、愛着ある会社を今後引き継いでいくメンバーの面々や、彼らをさまざまな側面から支えてくださる関係者の方々には、我が社と創業者自身の歩み、また経営の根底にある理念や心意気などを感じ取っていただければ幸いです。

目次

第2章 【家族】夫と妻の役割分担

第3章 【独立】

夢は大きく、「新しい文化の創造」

第5章 【事業承継】
お父さんのように徹夜をしたい

第6章 【ネオレックスの働き方】
「やらされ仕事」ではなく「任され仕事」を！

序章

独立志向は親の背中を見て

【独立宣言】

中学卒業の日に独立宣言

中学校の卒業式があった日の午後、塾仲間の4人で喫茶店に行った。そこで同級生の美代ちゃんに聞かれた。

「駒ちゃん！　将来何するの？」

即座に「独立する」と答えた。これが、独立をハッキリと口に出した最初。

「なに～、駒ちゃん電気屋さんになるの？」

そう言われて、（エッ、俺電気屋さんになるのかなー……）と思ったが、別段深い考えがあったわけでもなく、会話はそこで終わった。

以来そのときの会話を忘れることはなかったが、実際に独立路線で走り出したのは7年後、大学卒業後の就職を決めるときだった。

どうして中学卒業の日に独立を宣言したか？

今考えると、親父の影響が強かったようだ。

戦地から帰還後、勉強と副業を始めた親父

三重県熊野の山奥で育ち、尋常小学校を出てから木こりをしていたこともあったという親父だが、三男だったこともあり、名古屋に出て来て日本碍子（現・日本ガイシ）に入社した。

そして、やはり三河の奥から名古屋に出て来ていたお袋と結婚することになる。お袋は、親父の住まいの近くの医院に行儀見習いで住み込んでいたそうだ。

戦時中のことである。召集で満州に出征し徴兵期間満了で会社に復帰、その後転勤で満州の研究所勤務となったが、終戦後速やかに帰国したと聞いている。

親父の満州赴任中、お袋は三河の実家（今の東栄町先林）に疎開していた。そこで私が生まれたのが昭和19年（１９４４年）12月。翌年の8月に、日本は終戦を迎えた。

日本中が貧乏だった時代。タバコは紙で巻いて吸っていたし、庭には食用の鶏がいた。そんな頃、親父は勤めの合間を縫って、パチンコ台の部品に絵付けをする内職の斡旋をしていた。どこからかブリキの丸い板を調達し、会社の同僚に配って絵付けをしてもらい、回収していた。

一方で勉強もしていた。ローマ字を自力でマスターし、遂にはバイオリンにまで挑戦していたらしいが、これはものにならなかったようだ。

母の編み物教室の賑わい

私が小2の5月13日に、瑞穂区の太田町から熱田区の伝馬町へ引っ越した。

親父が、熊野の小学校で同級だった大桑さんと一緒に事業を始めることになったためだ。大桑さんは三重県でいくつかの事業展開をしていて、仕入れで定期的に名古屋に来ていた人。大桑さんのお兄さんは、現在も近畿・東海地方に展開しているスーパーオークワの創始者である。

伝馬町は、東海道五十三次の「宮の宿」。古くからの繁華街として栄え、当時はまだ賑わっていた。そこで親父と大桑さんが始めた商売はそれなりに繁盛したのであろう、何年かして南区の内田橋に店舗を移転した。

親父は独立志向のサラリーマンだったが、この事業をしている間も会社は辞めなかった。お袋が泣いて反対したからだと聞いている。

そのお袋は、親父たちが移転した後の伝馬町の店舗の床を上げて座敷にして、編み物教室を開いた。教室には近所の主婦らが集まり、一方でセーターの製作なども頼まれ賑わった。両親の里である熊野と三河から、毎年のように若い女性が住み込みでお手伝いに来て編み物を習い、縁を見つけて結婚していった。

会社から表彰された多くの改善提案

あるとき、畳の上に何枚もの表彰状を、広げた扇三枚の要(かなめ)を合わせたように丸く並べ、上から写真を撮る親父を手伝った。賞状の数が増えて鴨居に飾る場所がなくなったので、まとめて一枚の写真にしようというのだった。それらはすべて、親父が会社に改善提案をして表彰された賞状だった。

工夫して何かを創るのが好きで、家でも、二人がかりの毛糸巻きを一人でできる装置を創ってみたり、発明的なことによく打ち込んでいた。

退職する頃は課長代理、管理職となっていた。確か創設されたばかりのセラミック賞を親父が受賞し、東京での表彰式にお袋と向かったことを覚えている。副賞の大きな振り子の掛時計が、最近まであった。山奥で生まれた尋常小学校卒の親父が、大企業で頑張った証。

親父の早期退職

お袋の強い反対で独立を思いとどまっていたが、遂に満を持して早期退職を果たしたのであろう。55歳の時、親父は会社を辞め、自動車教習所に通いだした。免許取得には、自分も教習所の先生もともに苦労したようだ。

退職して最初に手掛けたのが、アイデア商品や健康機器などの販売。その後、電気部品やハーネス（配線ケーブルを束ねた部品）の加工を始めた。昔、編み物を習いに来ていた生徒さんに頼み、お宅に部品を配り、加工品を集めて回っていた。

親父の内職仕事が軌道に乗った頃、ちょうどＮＥＣのパソコンが売り出された。この頃には、私もすでに社会人。そのパソコンを利用してハーネスの自動試験機を創ってあげた。パソコンにつないだ試験用のコネクターを部品の両端にはめると、大きな音とともに画面いっぱいに「ＯＫ」などと表示するものだった。

この話を耳にした三菱電機の部長さんが試験機を見にきて、親父が納品するハーネスは受け入れ検査しなくていいと言って帰ったとのこと。「ならば工賃を上げてほしい」とは、さすがに親父も言い出さなかったと思うが、めったにない私からの親孝行となったかもしれない。

下請け仕事は納期が厳しく大変だったようだが、周囲から「社長さん」と呼ばれるのを励みに、楽しみながら、よく頑張ったと思う。こうして思い出しながら書いてみると、私はやはり親父の後ろ姿を見て独立を志向したと思われる。

昭和61年（1986年）　伝馬町の自宅を建て直したミニビルの2階に住んでもらうようになった頃の両親（135ページ参照）

独立志向はＤＮＡ？

後日談だが、私の弟は、工業化学を学んで中堅の自動車部品メーカーに勤めていた。その弟に、私の就職の経緯を話し、こう語ったことがある。

「就職は会社に選ばれるのではなく、自分で会社を選ぶべきだ。そうすれば、自分が選んだ会社なのだから、どんなときでも前向きになれる」

要は調子に乗って兄貴風を吹かしたわけだが、意外と弟の心には響くものがあったらしく、転職した。

その後、弟は仲間と起業して社員50人以上の会社に育て上げ、「技術が分かる名物専務」として生き生きと働いていた。私の就職の話がなんらかのきっかけとなったものか、我々のＤＮＡプラス親父の後ろ姿がそうさせたのか、それは定かでない。

第1章

面白ネタを見逃さない

【仕事】

独立志向は出世する

「部長はこの会社で何をしているのですか？」

独立志向の強かった私には、普通の会社人間としては常識外れの面があり、よく言えば破天荒だったと思う。

新卒で就職し、しばらく経つと、会社の仕組みや管理職の役割などについて、次々と疑問に思うことが生じてきた。

そこで飛び出したのが、誕生会での社長への失言。入社して9カ月目の12月に誕生会があり、社員10人ほどで社長を囲んで懇談していた。

そのとき、社長に「この会社の課長は全員ダメな人ではないか？」と聞いてみた。すると、「なあ駒井君、会社はそういう人で成り立っているのだよ」と諭され、そういうものなのかと思ったりした。

また、当時の企画部の部長に対しても口を滑らせた。その部長は、社長が独立前に勤めていた東芝の工場の上司で、我が社に天下りしてきたのだと聞いていた。

工場から本社へ移動する車にその部長と同乗した際、「部長はこの会社で何をしているのですか？」と私は尋ねた。そのときに運転をしていた先輩に、そういうことを聞くものではないと、後で叱られた。

手を替え品を替え機会を見て提案！

そのように、社会人になりたての頃は世間知らずの若者ぶりをいかんなく発揮していたが、失敗を重ねながら、少しずつ処世術を身につけていった。

大卒がいなかった会社で初めての学卒社員だったから、それだけでも注目を集めていたのだが、行動や発言も何かと目立ち、いささか過激だったのであろう、入社後最初の年の夏の行楽で、夜、宿の裏庭に呼び出され、生意気だと脅され暴力を受けたこともあった。

このときの感想は「マッ、こんなものだろう」。自分が出世して長になったら、こんなことは起こさせないと、反省するのではなく、少し気を付けようと思う程度であった。会社に矛盾や不合理があっても、自分の部署ができたときに、そうした問題をすべてなくそうと考えていた。

だからまったく不平や不満を言う動機がない。いつも前向き提案型で、受け入れてもらえなくても平気。どうしても意見を通してもらいたかったら、提案を考え直し、それでもダメだったら、手を替え品を替え、機会を見て提案する。

考えてみれば、これ、非の打ち所がない、模範社員スタイル。だから出世した？

社内で独立する方法もいろいろある

私の場合、就職した家電の修理工場に、ＩＣ、ミニコン、マイコンなど、未知の世界を持ち込み、顧客であった大学の先生方にも味方についてもらうなど、環境にも恵まれていたが、一般論としても「独立志向で仕事に取り組む」のはお勧め。

雇う側からみると「いつ辞められるか」と疑心暗鬼になる面もあるかと思うが、独立志向は会社を飛び出すこととは限らない。部門の独立、事業の独立、グループ会社としての独立など、独立の形態は多様なので、経営者も社員の独立志向をやみくもに恐れる必要はないと思う。

独立とは、自分の裁量で自由にやれる範囲を広げること。だから、出世も同義だと思う。

主任になりたかったら部下を育てればよい、課長を目指すなら自分の課を創ればよい、部長になりたかったら自分の部を創ればよい、社長になりたかったら、新規事業を立ち上げ、まず子会社を創ればよいというのが私の思うところ。私の会社人生はまさにこのスタイルで、誠に楽しい、概してストレスのない充実したものであったと思う。

独立って、最高の目標

私は中学卒業の日に独立を口にしたが、確固たる信念とか展望があったわけではない。

親の姿や言動を見て、無意識のうちに感化されたのだと思う。

後述するように志望大学を決めたときもそうだったが、私は、いろいろ考えずに突っ走る人間のようだ。

考えてみれば、「独立」ってすごく便利な言葉だと思う。独立の意味する範囲は極めて広く、業界も職種も限定されない。社内で出世して部署長になるのも独立なら、電気屋さんになることもお菓子屋さんになることも、みんな独立に通じる。小さい子の「ケーキ屋さんになりたい！」という夢も独立につながっているのだ。

そう考えると、お役人や学校の先生になる以外は、誰にでも独立志向はあり得る。いや、公務員や教員でも、住民のため生徒のために「自分はこんな仕事がしたい」という強い思いがあれば、それが独立心なのかもしれない。

私の独立の定義は、「裁量を拡大し、生き生きとした楽しい職場を創る」こと。そして、最初に就職した会社で、まさにこれを目指したことになり、チャンスを生かして組織の中での独立を目指し、その果てに、社内でできることはやり尽くして独立起業したつもりである。

選ばれるのではなく、自分が会社を選ぶ

大学は面白講座もあってよかった

私が金沢大学に入ったのは昭和38年（1963年）、専攻は電子工学科だった。アマチュア無線や電子回路に興味があったので、回路設計を深く学べるものと想像して選択した。

だが、専門課程に進んで履修科目を見ると、電子工学とは「物性」を扱う分野だった。いわゆるアインシュタイン的な量子力学の世界。波動方程式など私にはいささか難しく、単位を取るのにかなり苦労した。

とはいえ電子回路の講義もあり、卒業研究には、当時普及し始めたばかりだったカラーテレビの電子ビーム制御を選んだ（初期のテレビはブラウン管という装置内で画面部にビームをぶつけて映像を映していた）。試験機の開発設計や制作を楽しみながら、なんとか無事に卒業できた。

ほとんど興味のない科目の聴講や試験に取り組まなければならないことも多く、もともと勉強嫌いな私には難儀であったわけだが、そうした中に、一部でも身を入れて勉強したくなる科目があったことは誠に幸せであった。

就職先は求人の有無に関係なく探す

私が苦労させられた電子工学は工学系の中でも新しい分野。母校・金沢大学で昭和37年（1962年）に新設された電子工学科は当時の花形学科でもあった。

東京や大阪の大手電機メーカーや、当時まだ「電電公社」と呼ばれていたNTTなど、いくつかの研究所からの求人もあり、ほとんど全員が教授の推薦でスムーズに就職先を決めていた。

そんな中で、私はただ一人、「入る会社は自力で探す」と推薦を断ったので、担当の山本教授には大いに驚かれ、「本当にいいのかね？」と問い返された。

そのとき私が言ったのは、求人がある会社を探すのではなく、求人をしているかいないかに関係なく、「自分で面白そうな会社を見つけて訪問する」ということ。教授が特に驚かれたのもその点だと思うが、求人情報が豊富な現代の就活でも、そうしたアプローチはあってよいのではないかと思う。

電話帳を見て、ハガキを送る

自力就職活動の皮切りは、実家の近所にあったブラザー工業。4年生になった春。帰省した際に試しに訪問してみたら、受付の女性にあっさりと断られた。

さすがに、「これは本気でかからねばマズイ！」と、目が覚めた。

教授推薦、学校推薦が一般的だった時代。現在のように学生が利用しやすい就職情報なども存在しなかった。

名古屋の電話帳を金沢に持ち帰り、電気機器関係のページをめくった。そして、夏休み前に50社ほどにハガキを送って反応を待ち、さらに電話帳の広告を見て電話をかけ、面接をしてくれる会社を順次回ることにした。

この会社訪問には親父の車トヨタのパブリカ８００を使わせてもらったが、エアコンが付いていなかったので、ともかく暑かったことを覚えている。

汗だくで面接を受けること7社目。家電修理工場を持つ社員１７０人ほどの会社が、その場で「採用する」と言ってくれたので入社を決めた。

世の中には「人材は確保したいが、どうせ求人してもダメだろう」もしくは「後継者がいないので廃業せざるを得ない」と考えている経営者が数知れずいるはずだ。そして「就職情報サイトでいい会社が見つからない」「どこを受けても落ちる」などと嘆いている学生もまた数知れず。こうした両者が、うまく出会えるようになればと思うところ。

トップと話し、その場で就職を決める

新卒で入社したのは、日進電気株式会社。

面接では、私が「開発の仕事がしたい」とか言い、社長が「まあ、そういう道もなくは

ない」などと答えてくれたように思う。

「電子機器の開発に携わる道もある。よし、この会社でいいや！」といった感じで、業態や職種に特にこだわりはなかった。給与も、実績を上げて昇給してもらえばよいと考え、まったく気にしていなかった。

そして、「ここでいいや！」と決断した一番の決め手は、なんといっても鬼頭社長ご本人の印象だった。大企業だと経営者に会う機会もなかなかないと思うが、できれば自分の思いを、経営者の方に、素直に正直に直接伝えておくことは大切。それが後でものを言うことがあると思う。

私の場合、入社2年目に顧客から出てきた開発仕事の話に手を挙げたが、そのとき、社長は「開発の道もないことはない」とご自分が面接で言われたことを思い出してくださったはず。

ちなみに、当時の会社には、名古屋工業大学卒の社長を除いて、大卒の社員はいなかった。私が初の大卒社員となったわけで、会社としても「英断」だったことと思う。

半年後に入社してみると、私のほかに大卒がもう一人、縁故採用されていた。当時は本社が名古屋市西区、工場（現・本社）は現在北名古屋市の一部となっている師勝町にあった。

「就職戦線異状なし」――。アメリカ映画の題名をもじり、そう題して卒業文集に寄稿した。

同級生たちは興味を持たなかったと思うが、心配をおかけした就職担当の山本教授への報告にはなったと思う。

山本教授は、卒業後もずっと気にかけてくださり、独立した後も「電子工学科を出て独立した人は君だけだ」と励ましてくださった。

「中小企業とはこんなもの」

すぐ辞めるだろうと思われていた新人時代

入社してしばらくの間の主な仕事は、家電製品の修理だった。修理といっても、いったん工場から出た製品の不具合対策修理である。

その内容は、今の人たちには想像もつかないと思う。例えば、中部地区に出荷されたテレビや冷蔵庫の新品を全部回収し、ラインに載せて修理するのだ。そもそも会社の工場や倉庫は、伊勢湾台風で水没した家電を修理して稼ぎ、手に入れたという広い敷地の一部にあった。

初めに与えられた仕事は修理ラインへの投入。パレットに倒れんばかりに積み上げた大きくて重いカラーテレビなどをラインに流す力仕事だ。中卒で7年前に入社した先輩が同じ年齢という職場で、「すぐに辞めるだろう」との冷たい視線を浴びせられたし、無視やいじめの洗礼も受けた。

中には荒くれた人もいて、いろいろあったが、「中小企業とはこんなもんだろう」と思い、マイペースで勤務を続けた。

実は充実——夜学に通い、ナイトラリーに出場

入社後半年して、愛知大学の夜間部に通うことにした。勉強嫌いだった私だが、今の仕事や将来に役立つのではないかと思い、工場経営などを学んだ。いくつも経営手法を学んだが、その中身よりは意気込みと達成感に浸るのが楽しかった。

この頃、公私ともに面倒を見てくれたのがバイタリティー溢れる八代課長。

工場が市外にあったので、名古屋市内から車通勤の人も多く、八代課長も同様だった。工場での仕事の帰りに西区の浄心の喫茶店へよく誘ってくれたり、一緒にドライブに出か

昭和45年（1970年） ナイトラリーのスタート（左）と、三河の山中を駆け抜けた朝（右）

けたりもした。

まだ車時代の幕開けの頃で、高速道路も少なかったが、八代課長に率いられて職場のグループで出雲や金沢など、結構遠くまで足を延ばした。金沢では、お寺の宿泊所に雑魚寝で泊めてもらったが、その対価がわずかなお布施だったことを覚えている。

ナイトラリーにも出場した。出場条件だったB級ライセンスを高卒入社の同期・相馬君に取ってもらい、トヨタパブリカ800で、二人で参戦した。車の底に工場の現場で作ってもらった6ミリの鉄板を張り付け、学生時代にバイトをしたレンタカー屋さんでカローラのタイヤを借りるなどして準備をした。

初出場ということもあり、出場123台中、ゼッケン123番。雨で道がぬかるみ、先行車が走った跡のわだちが深くて走行に難儀したが、三河の山奥を一晩中走り、17位という結果だった。

ラリーは一般に、チェックポイント間の走行時間の正確さを競い、速くても遅くても減点になることが多い。だが、我々が参戦したナイトラリーのルールはヨーロッパ方式の一種で、速過ぎて減点になることはないと聞いていた。

従って時間の調整は不要。掛かった秒数がそのまま減点になる何カ所かのスペシャルステージも含め、ほとんど車が通らない山道のコースを、ともかく目いっぱい飛ばせばよかった。崖からずり落ちる車や追突の衝撃で歯を折る人が出るような、ハードなレースを楽しんだ。

中学で学んだ「オームの法則」が現場で役立つ

フォークリフトの運転がかなり上手くなった頃、ラインに入ってテレビの修理をするように言われた。ある程度職場になじみ、「しばらくは辞めそうもないな」と思われたのであろう。

卒研のテーマにブラウン管の電磁特性を選び、カラードットの調整用機器などを作ったので、カラーテレビにはなじみがあった。修理マニュアルの電圧を確認するのではなく、動作原理をオシロスコープ（電気的な振動を表示する装置）で見ながら修理を楽しんでいた。

このとき、中学で学んだオームの法則が本当に役立ち、意味や使い方がよく分かった。

ティーチングアナライザー

営業への同行がきっかけで始まった仕事

入社後2年ほどした頃、本社の特機営業部門から声がかかり、営業に同行することになった。「岐阜大教育工学教室から声がかかった」ことがきっかけだった。教室の様子を記録する仮設カメラの取り付けを相談され、カメラ架台を支えるパイプを下から自動車のジャッキで天井に押し付ける仕掛けを作った。

そうこうしているうちに、その教室が研究していたメインテーマ「ティーチングアナライザー」について相談されるようになった。

ティーチングアナライザーとは一時期話題となった教育機器。教室の児童全員に3択のスイッチが付いた子機を配り、先生の問いかけに対して児童が子機のボタンを押すと、本体の表示部で青、白、赤と個人別のランプが点き、誰が何を押したかが分かるものだ。

教壇にある本体で、児童個々の作業の進捗を見たり、「分かった人は1番のボタンを押しなさい」などと言って授業を進めたり、児童の理解状況を見ながら教師が教え方を工夫するのに役立った。

我々が受けた相談は、こうした機器の製造に関するもの。本体100台、子機5000

個ほどを開発製造する話だった。

今も変わらぬ私の「現場主義」

もとはと言えば営業の同行から舞い込んだ話で、要請に応じる態勢は社内に整っていなかった。引き受ければ会社にとって先行投資になるわけだが、「できるか」と聞かれ、迷うことなく「できる」と即答した。

これが、私がすべてを一人で始めた「一人事業部」の始まり。工場にはもともと修理のラインがあったので、組み立てには好都合だと思った。

本体の板金設計からパネルの樹脂加工、子機の金型設計まで、すべてが初めての仕事だったが、板金、樹脂などの製造工場や電気部品の卸し屋さんなどとの交渉も、すべて自分一人でこなした。

そうした外部の人たちとのお付き合いも初めてだったが、ともかく元気に飛び込んで夢を語ると、幸い皆さん、どなたも快く応援してくださった。

外注さんへ発注する際は、必ずその会社に出向いて工場の現場を見て、実際に作ってくださる方々と話をさせていただいた。その頃から今に至るまで「現場主義」から抜けられない。アナライザーのカタログを作る際、印刷工場まで見せてもらったので、こんな客は初めてだと三井堂の松本さん（現・同社社長）に驚かれた。

作業部屋にこもる「変わった新人」

設計の一部が出来上がり、実際に外注先へ発注を始めた頃、会社で使われなくなっていた守衛室を一人事業部の作業部屋とした。その部屋の裏側にタイムレコーダーがあったので、工場に勤務する全員が「変わった新人」の作業をのぞき込んでいった。

多忙を極めて、連日帰宅は深夜になった。ところが夜遅くなると、会社は番犬のシェパードを敷地内に放していた。私はこの犬とだけは親しくなれず、襲われて殺されかけたこともある。

材料費や加工費の記憶はないが、後に販売するとき、本体と子機一式で36万円という値付けをした。その価格を、当時トヨタが売り出していた大衆乗用車パブリカ８００と同じだと思った記憶がある。

それなりに原価もかかっていたわけで、会社もよくやらせてくれたものだと今にして思うところ。

最新の教育工学研究の現場へ

その後、大学のノウハウで、ステレオテープレコーダーを利用した集団反応記録装置を創った。

授業中、教師の説明が分かったときに、子どもが手元のボタンを押す。教師側では誰が押したかランプで分かると同時に、点灯した電流をメーターで示し、その電流値を電圧に変えてテープレコーダーに記録する。その変化を、ペンレコーダーでグラフにする仕掛けだ。

テープレコーダーには教室の音声も記録されるので、どんなヒントを出したときに理解が進んだかも、後からグラフに書き込まれる教師の発言で分かる仕組みだった。各地の研究会でこの成果が発表され、注目を集めた。

教育工学研究の波が広がっていて、岐阜大学の先生方とともに、そうした研究が盛んだった九州や四国まで出かけて行った。長崎大学や香川大学が当時そうした研究に積極的だった。長崎大学は離島の教育にＦＡＸを活用する研究を進めていた。香川大学では、学生に紛れ込んでいた私のことを「助教授のような人がいますね」と言う先生もおられた。

この頃、私に仕事上さまざまな後押しをしてくださったのは、岐阜大学の後藤教授であった。

営業も工事もこなす「一人事業部」

志願して工場を離れ全国行脚

１００セットのティーチングアナライザーも周辺機器も出来上がったが、次の課題は、それをどう売りさばくか。社内には、教育機器を販売する営業マンがいなかった。

自然な流れで営業を志願し、通い慣れた工場を一時、離れた。名古屋市内にあった営業部隊の中にデスクを置いて、一人で全国を行脚した。

教育工学の研究会などに参加していた学校が対象なので、大きな競争もなく、予算取りの調整などのお手伝いをした。北は千葉県の柏、南は長崎県の佐世保まで飛び回り、おおむね製作した機材は売り切った。

千葉県には、カローラバンに機材や床配線用ダクトなどの材料を積んで一人で出かけ、床の配線をして機器を取り付けた。学校の給食をごちそうになり、競馬好きな校長先生が、熱心に馬の話をしてくださったのが思い出される。学校の近くには競馬場があった。

佐世保や富山県の高岡、岐阜や名古屋などでは、校舎の新築に合わせて教室内に埋め込みの配管をしてくれた小学校があり、床埋め込み用の子機接続コネクターの開発もした。

研究グループからの紹介があったとはいえ、一人事業部で頑張っていた私を応援してくださった学校の先生方には心から感謝し、できれば今でもお礼を申し上げたいと思っている。

台風一過、見に行った倉庫で社長と二人に

そうして営業に頑張っていたある土曜日、台風が来た。本社の建屋は木造だったので、台風が去った日曜日の朝、雨漏りしていないか心配になり、一人で様子を見に行った。入社して5年目ぐらい、この頃には結婚し、すでに子どもたちも生まれていた。

事務所に入り、大事な製品が積んである倉庫の点検をしていたとき、声がしたので振り返ってみると鬼頭社長が立っておられた。「雨漏りが心配で見に来ました」と答えて、社長と一緒に倉庫を点検した。

本社には60人ほどの社員がいたが、その中で、社長と私だけが、会社を心配して見に行っていたようである。

「大丈夫だったようですね、では、失礼します……」。簡単な挨拶をした程度で帰ってきたが、私を面接して採用してくれ、前述した誕生会での失言なども諭してくれた社長との、貴重な懐かしい思い出である。

当時、社長と話ができる機会はめったになかったが、私の「一人事業部」のことは上司や関係者から聞いておられたはずで、陰ながら評価し、応援していてくださったことと思

う。

社長はこの後しばらくして急逝されてしまい、奥さんが社長を継がれた。その後は退職までこの新社長のお世話になったわけであるが、私の会社中心思考は、前社長から「奥さん社長」にも伝わっていたと、今では思っている。

のめり込む面白さ――デジタルＩＣ

32Ｋバイトで300万円の時代

最初、集団の反応を見る装置として考えられたティーチングアナライザーであったが、デジタル素子が出現してデータ処理能力が高まると、学習する個人別の反応や変容を細かく記録分析できる環境が整ってきた。

岐阜大学がデジタル反応分析装置を東芝に発注した。私は岐阜大学とも東芝とも関係があったので、この納入に関わることができた。

この装置を受注するとき、私が見積書を書いた。当時は32Ｋバイトメモリーが300万円を超える金額で、16Ｋにしてコストを抑えるべきか大学が悩んでいた。今ならメモリーも「ただの隣」ぐらいの価格だから、隔世の感がある。

大学の成瀬教授に同行して時々上京し、東芝での打ち合わせに参加した。日比谷の電電ビル（現・NTT日比谷ビル）だった。ラフな服装の東芝マンがいたり、お昼に一緒にレストランへ行くとランチビールを勧められたりして驚いた。

打ち合わせ録を取るように成瀬教授に言われた。若手にそうした場所で経験を積む機会を与えようとのご配慮だった。しかしながら私は、技術的な会議の参加も議事録取りもまだ慣れていなかった。ニーズや機器の機能などの知識も薄弱で、まったく役立たなかったと思うので、今でも成瀬教授の期待に応えられなかったことを申し訳なく思っている。

一人事業部初の仲間とアマチュア無線で勉強

やがてデジタル反応分析装置が出来上がって大学に納入された。デジタルＩＣがびっしり載ったプリント基板（一枚の板の上に電子部品を並べて、回路として動作するようにしたもの）がシステムラックに何枚か装備された製品であったが、私は、機器そのものよりデジタルＩＣに強い興味を抱いた。

装置に詳細な全回路図が付いていてワクワク、興奮した。「この回路を紐解けば、ＩＣがマスターできる」と直感し、それが宝物のように思われたからだ。私は、大量の大きな回路図を自宅の近所のコピー屋さんに持ち込んで2冊複製した。これは私にとってまさに宝物となった。

その頃に配属された「一人事業部」の初めての仲間、金井君と相談して、二人の共通の趣味であったアマチュア無線を使って勉強することにした。超短波のトランシーバーを買い、団地の4階だった我が家（名古屋市北区）のベランダと、20キロほど離れた蟹江（海部郡蟹江町）にあった金井君の家とで八木アンテナを向け合い、夜の9時から毎晩、回路とその動作の解析をした。

これは、誠に楽しい有意義な勉強になったが、この話を傍受していたアマチュア無線愛好家の中では、なんだか難しいことを話している人がいると、話題になっていたと後で聞いた。

この、アマチュア無線によるデジタルＩＣの勉強は、この後、私の仕事を大きく飛躍させるきっかけになる。

デジタルＩＣを使った開発第1号

ＩＣによるデジタル回路は、誠に私向きだと思った。面倒なバイアスなどの計算はなく、ロジックの設計だけ。周辺の電源やパワー出力回路も、増幅率とオームの法則で十分に対応可能と思われた。

たくさんある論理ＩＣから適切なＩＣを選び、組み合わせて回路設計をし、チャート図で動作を確認する。実機の動作確認は、オシロスコープで波形を見て、設計したチャートと見比べればよい。テキサス・インスツルメンツ社の分厚いＩＣチップのマニュアルが座右の書となった。

マニュアルはもちろん英語であった。文学的な表現があるわけではないが、英語が苦手だった私は、その解読にかなり苦労した。一時期、暇さえあれば繰り返しそのマニュアルを見ていたが、その情景を見ていた家族に私が発していた言葉は「読書百遍！」。パートナー（愛妻）の佳子さんは子どもたちに、駒井家の家訓のように、このことを口にしていた。

ＩＣを使って最初に創ったのは、個人記録装置。それまでの教育機器が備えていた集団記録に対して、私は個人別の記録を取ることを考えた。

当時、ブラザー工業が外部駆動機能付きの電動タイプライターを販売していた。タイプライターの数字キーの下に電気で引っ張る部品（ソレノイド）が付いている製品である。私は、ＩＣ回路で反応表示ランプの点灯状況をスキャン（走査）して、その信号でバタバタと数字キーを引っ張り個人の反応記録をプリントする仕組みとした。原理は簡単で、誠にシンプルかつ快調な楽しい開発だった。

初期の最高傑作「アイカメラ・データ抽出装置」

そのほかにもデジタルＩＣを活用する電子機器をいくつか開発したが、私の最高傑作は岐阜大学の教育工学の先生に提案したアイカメラのデータ抽出装置である。

人がどこを見ているかを調べるアイカメラのデータは、それまで、８ミリフィルムの映像の中に被験者が見たポイントを白い点で重ねて撮影し、画像一枚一枚ごとに白い点の座標を手で計測してデータ化していた。

私が開発したデータ抽出装置は、そのアイカメラの画像をビデオカメラで撮影し、同期信号を基準にして走査線の中から白い点を抽出、垂直、水平二つのカウンターの値が画面の座標となる仕掛けだった。８ミリフィルムの一コマ一コマを物差しで測っていた手間が、リアルタイムで計測できるようになる優れもので、私が創った究極のＩＣ活用機器だったと今でも思っている。

このとき、テレビの走査線のことは友人の宇佐美さんに教えてもらった。

一人事業部が8人に――「クレームより解決策」

ティーチングアナライザーの仕事が増え、一人事業部のメンバーが8人ほどに増えた頃、愛知県内の県立高校17校に新型アナライザーを納めた。

生徒の反応を表示するだけでなく、前段階の記録からの変化、変容を示せる機能を搭載、ICを活用して自作した最初の作品であるタイプライターも付けた豪華版だった。
入札で競合したのは、島津製作所や内田洋行などだったと記憶している。高揚感の中、設計をし、製作をし、納入をした。県内各所に散らばった17校の工事は、厳しい日程の中で進んだ。工事を取り仕切ってくれたのは八代課長。彼のリーダーシップの下、メンバーが手分けして、楽しく前向きに取り組んでくれた。

このとき、アナライザー本体の大きな表示、制御プリント基板を作ってくれたのは、揖斐川電気工業さん（今のイビデン）。プリント基板の製造を手掛け始めたばかりだった。
ところが出来上がったプリント基板がところどころでショートしていた。ムカデの足のようなICのピンを差し込んで、半田付けするための丸い部分のすき間は0・7ミリほど。そのすき間に2本の線を通せると言われ、金井君がそのように設計したが、実際にはすき間が狭過ぎて2本の線は通らなかったことが原因だ。納期が迫っていたので、クレームを言って基盤を直してもらおうとは考えず、なんとかこちらで手直しして完成させた。

昔のデジタル基板黎明期の話で、今ではそんな問題はめったに起きないであろうが、その頃から、私には「クレームをつけて騒ぐより、代わりの解決策を考えるほうが早い」という考え方が定着していた。

ちなみに、半田付けとは鉛やスズの合金である半田を、コテで熱して溶かし、金属を接ぎ合わせる作業のことである、念のため。

マイコンの出現と大講義室アナライザー

こたつを独占して自作「マイマイコン」の動作を研究

昭和49年（1974年）、私がデジタルICをマスターしてしばらくした頃、インテルが改良型マイクロプロセッサ8080Aを発表した。これまでのデジタルICのように回路でさまざまな制御や計算を行うのではなく、CPUとメモリを使い、プログラムでさまざまな処理を行うコンピュータがワンチップに収まったものが、いよいよ登場したのだ。

このマイコンを普及、拡販するためにNECが売り出したのが、有名な評価ボード「TK80」だ。コンピュータボードに入力スイッチや表示器なども一体で付いていて、大掛かりな入出力装置が無くても、簡単に動作などを確認できる優れものであった。

日進電気の我が陣営は、マイコンへの対応に少し後れを取っていた。検討が遅れているうちに、我々と関係の深かった東芝が12ビットマイコンの「TLCS－12A」を開発、評価ボードを発売したので、私もようやく腰を上げた。

しかし、TLCS－12Aには表示器や入力スイッチが無かったので、市販のアルミケースの中にボードや電源を入れ、前面に12個単位のスイッチやランプを付けた評価用の「マイマイコン」を自作、マニュアルをにらみながら操作し勉強をした。

昭和52年（1977年） 団地でマイコン研究。机の上の左がマイコン、右のモニターがオシロスコープ。手前にいるのが、この頃の研司君（現・CEO）3歳

この後、部屋に持ち込んだテレタイプライター

冬だったので、こたつに入って、毎晩スイッチを操作して動作の確認をする。12個のスイッチでプログラムやデータをセットし、機能スイッチでワンステップごとにプログラムを実行させる。気が遠くなるほど面倒な操作ではあったが、コンピュータの仕組みや動きを理解できることで、のめり込むような面白さがあった。

その頃、二人の息子は幼稚園児と幼児だった。今思えば、こたつを独占された妻や子はそのときどうしていたのだろうか？

団地の住まいにテレタイプを持ち込む

のめり込む勢いに乗って、テレタイプライター（テレタイプ）を買った。いちいちスイッチで行っていた入力が、キーボードでき、プログラムやデータを文字でプリントしたり、その内容を紙テープに打ち出したりできるので、マイコン研究は飛躍

的に進歩した。

テレタイプは中古でも高額だったと思うが、迷いはなかった。二部屋しかなかった団地の一部屋に両脇に引き出しが付いた大型の机とテレタイプを備え付け、一部屋占拠する生活が始まった。テレタイプはかなり大きな音がするので、ご近所からの苦情を心配したが、窓さえ開けなければよさそうだった。

昼は会社で仕事、夜は自宅でソフト開発

マイコンが分かり、いくつかの製品開発をしていた頃、教育産業㈱さんの紹介で札幌の㈱光映堂さんを訪問した。北海道工業大学の大講義室にアナライザーを導入するという話だった。

札幌に滞在する数日のうちに打ち合わせを重ね、仕様をまとめ、客先や光映堂さんの意見をうかがって何度も書き直した。名古屋へ帰る当日の未明に最終仕様書と見積もりを仕上げ、光映堂さんに渡して名古屋へ帰った。団地の部屋に置いてあるマイマイコンの機能を活用すればなんとか開発できると思っていた。

その後しばらくして、北海道工業大学から大講義室アナライザーを受注したとの連絡が、光映堂さんからあった。その間、大学といろいろやりとりがあったのであろう。

受注したアナライザーは、大講義室の机に電卓のような子機を３００個ほど配備し、そ

の入力データを控え室に設置したコンピュータに取り込み、簡単な操作で集計プリントするもの。子機に学籍番号を入力すると、一気に全学生の出席もプリントできる。

その頃には、板金設計やプリント基板のアートワーク設計から回路設計まで、多くの作業を金井君が担当してくれるようになっており、それらについては、私はチェックをする程度で済んでいた。

だが、12ビットマイコンのソフト開発は私の担当だった。

大講義室アナライザーを受注して、ここからいささか想像を絶する日々になった。日中は普通に出勤して働き、夜、家に帰ってからプログラム開発をした。

ちなみにこの頃、私の肩書きは部長。一人事業部からスタートしたチームメンバーが5人となり、私が30代になった頃、会社が付けてくれた役職名は「チーフ」だった。鬼頭社長（先代の奥さん）が考えたのか、私が希望したのか忘れたが、そのチーフ時代が長く続いたように思う。その後、課長と呼ばれた記憶がないので、いつしかチーフから部長になっていたのだろう。後に独立するときの肩書きは事業部長だった。

いつ昇進したかも記憶にない多忙なモーレツ社員だったが、自分で創った仕事ばかりなので、文句を言う相手もいない。その点は諦めていたが、時々「もう一人自分がいればなー」と思うことはあった。

究極の開発方式は夫婦協業――「死んでから寝る！」

夜、家に帰って、プログラムの開発や修正をする。その結果を、プログラムリストに赤ペンでぎっしり書き込み、翌朝、これを残して出勤する。

するとお昼に、妻の佳子さんが、赤ペンの入ったプログラムリストに従って、紙テープ（その頃のコンピュータのデータ記録媒体）を切ったり貼ったりして修正してくれる。そうして私の帰宅までに、新しいプログラムリストとともに、紙テープを用意しておいてくれた。

こうした生活が1カ月以上も続いた。

この夫婦協業は、必要に迫られて編み出した究極の開発方式であったが、悩ましいことが二つあった。一つはテレタイプで深夜に大きな音を出すので、団地の隣人から苦情が来ないか気になったこと。もう一つは、睡眠時間の確保が難しかったことだ。

当時、6時間の睡眠確保を目指していたが、なかなかままならず、今でも寝る前後に睡眠時間を指折り数えているのは、このとき身についた習慣である。

睡眠不足を心配してくれていた家族に、「死んでから寝る！」と言うのがこの頃の口癖だった。

連休も友人と不眠不休――家族サービスは？

この開発中、万一上手くいかなかったときのために一つ手を打っていた。

ソフトの仕上げに入るゴールデンウィーク、コンピュータの専門家になっていた金沢大学時代の友人・車古君に、プログラミングの応援に来てもらうことにしていたのだ。休みの前半に我が家に来て作業を手伝ってもらい、後半は彼の家族を名古屋に招待する約束だった。

計画どおり名古屋に来てもらい、数日間寝ずの作業となったが、なんとかプログラムを完成させて、後から来た車古君の家族とホテルに泊まった。その晩は、子どもたちを部屋に置いて二夫婦でディナーのはずであったが……。

旦那二人は徹夜疲れでぐっすり寝込んでしまい、いたく奥さんたちのヒンシュクを買った次第。だが、翌日は予定どおり、子どもたちと約束の東山動物園に出かけた。

ノーストレスで楽しく働く秘訣

夜間、自宅でソフトを開発する一方、昼はアナライザーの本体や、電卓のような子機の設計、製造を進めていた。

これらの設計は金井君が主体となってこなしてくれていたが、部品の選定や作動させる技術の打ち合わせは私の担当だった。例えば、電卓型子機の表示には伊勢電子工業さん(現・ノリタケ伊勢電子)の蛍光管表示を使ったが、この作動には幾種類もの電源が必要だった。

すべてが完成したのは秋。このときは私は、何度も足を運んだ札幌へは向かわず、機材や道具を積んだハイエースを、北海道へ送るために名古屋港へ運んでフェリーに乗せ、見送った。10人余りのメンバーが、空路、現地へ向かった。札幌は雪が降り寒かったとのことだが、楽しく工事に取り組んでくれたと思う。

そう思う最大の根拠は、現場で陣頭指揮を執ってくれた八代課長の人柄だ。前向きな八代課長が「大変だぁ」と言いながらも明るく現場をリードしてくれた。

そして私自身も、「もし行き違いや不具合などがあったら全部私の責任」と腹をくくっていた。私がその「自責主義」で一貫し、嘆いたり小言を言ったりしなかったことも、メンバーがストレスなく頑張ってくれる要因になったと自負している。

最初で最後となった家族旅行

当時は、営業的な活動は私一人が担当していたので各地への出張も多かった。特に新規開発のときは、基本設計や部材の選択などで商社や工場を訪問することもあり、多忙な毎日がいっそう忙しくなった。

そうした中で珍しく、初めての家族旅行を計画した。出張から帰った翌日に車で金沢へ行くことにした。1年前に、北海道向けのソフト開発で世話になった金沢の友人、車古君の新居を訪問する旅だった。

旅行の計画を耳にしていた社長から、仕事を調整してぜひ出かけるようにと気を遣われていた。出発当日、長男に微熱があって、少し躊躇したが、予定どおり出発した。

車古君のお子さんとうちの息子たちとは、お互い1年前に名古屋で会って一緒に動物園に行ったこともあったので、彼の新居の2階にあった卓球台で仲よく遊んでいた。

2泊の短い旅行であったが、友人と再び家族同士での親しい交流がかない、私の第二の故郷である金沢を息子たちに紹介もできて、楽しい旅となった。

昭和54年（1979年） 最初で最後の家族旅行

旅から帰って、私も佳子さんも、そして子どもたちもそれぞれの生活を再開したのであるが、思えば、家族旅行はこのとき以降、一度も出かけたことがない。

私が仕事中心であったことがその一番の原因に違いないが、一方で二人の息子たちも、参加していた海洋少年団で毎年全国大会に参加し、時に海外遠征もしていた。さらに学校の行事やクラブ活動、留学など、忙しい生活だったと思うので、家族の一人一人、それぞれが多忙で有意義な時間を過ごしていた、ということになるのだろうか？

最先端の教育システムを導入した小学校

大学で初めて接した頃のコンピュータ

私が初めてコンピュータに触れたのは、金沢大学に入学して間もなくのことだった。理学部の先生が、ある講義の際に「今度コンピュータが導入されることになった。興味がある人はいるか？」と学生に尋ねた。そこで手を挙げた二人のうち、一人が私。もう一人は後にＮＥＣの役員になった友人だった。

当時、金沢城の中にあった理学部に導入されたコンピュータは、ＮＥＣが昭和37年（１９６２年）に発表したＮＥＡＣ－２２３０。大きな事務机の上に、それより大きなプリンターや磁気メモリー装置が並んでいるような外観だった。

コンピュータのメインメモリーは２・４Ｋワード、今のｉＰａｄの最小モデルに換算すると約60万分の1だった。

先生はこのコンピュータで、我々と最適化問題に取り組み、結果を出そうとされたようだ。そこでまずは線形計画法を教えてくれた。これは例えば、トラックで各地の工場から荷物を運ぶ場合の、生産量や配送地域の需要、トラックの積載量や経由地などを計算して、無駄のない輸送計画を立てるものだった。

だが私は、4キロほど離れた金沢市小立野の工学部（現在は角間に移転）へ通うようになったのを機に、コンピュータから遠ざかってしまった。

実技として例題のプログラムの動作を見た程度で、最適化理論に行く手前だ。そんなわけで、先生の期待には応えられなかったが、トランジスタでできていたコンピュータの基板とプログラムの動きは誠に興味深かった。

後に始めた「マイコン」や「ミニコン」の勉強や研究開発は、私にとって10年ぶりの本格的なコンピュータへの取り組みだった。

小学校の全教室をコンピュータで結ぶ構想

北海道工業大学に大講義室アナライザーを納入した後、岐阜県各務原市の川島小学校で新校舎が建設されるとの話を聞いて、校長先生を学校に訪ねた。岐阜大学とも連携して先端教育システムを導入するという壮大な構想に胸が躍った。

現在、各務原市の一部となっている川島町は、木曽川の中州にある。有名な関ヶ原の戦いの前に東軍と西軍がぶつかった木曽川の合戦は、ここが舞台。

川島町は、岐阜市から距離的には近いが、町の規模が小さいなどの理由からか、昔から過疎地扱いになっていた。町長さんと校長先生の構想は、最新鋭校舎を造って優秀な先生を集め、地域の子どもを大きく伸ばそうという狙いだった。

そのために、全教室にティーチングアナライザーを設置してコンピュータ室に接続し、全校児童一人一人の授業中の反応を分析する。全校放送での校長先生の話に対する全児童の反応をリアルタイムで見ることもできる！

そうして、集団反応分析はもちろんのこと、S－P表により個々の児童のつまずきを見つけ、一人一人に最適な教材を提示しようとしていた。S－P表とは、課題を解くための要素別に正誤を集計し、児童の誤答パターンや問題の難易度などを分析するもの。さらに、体育や成長の記録をデータ化し、分析して、児童の健康管理に役立てようともしていた。

内心ニンマリ「サンキュー受注」

システム構築について何度か町と話し合いを持った後、私と水野君が機器構成や仕様、費用の説明に呼ばれた。水野君とは、後にネオレックスでも苦楽をともにすることとなるが、当時から私の頼りになる後輩だった。

先生方と役場の人たち数人を前に、最終価格交渉が行われた。

席上、私たちが最後に提示した価格は3900万円。コンピュータを除いてほとんどの機器が社内製造品、工事も社内のメンバーなので厳密な原価計算は必要なく、相談する事柄も相談する上司もなかった。

（サンキュー、いいじゃない？）などと、その場で腹の中で決めた金額。すんなりこちら

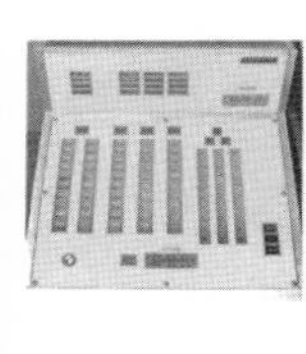

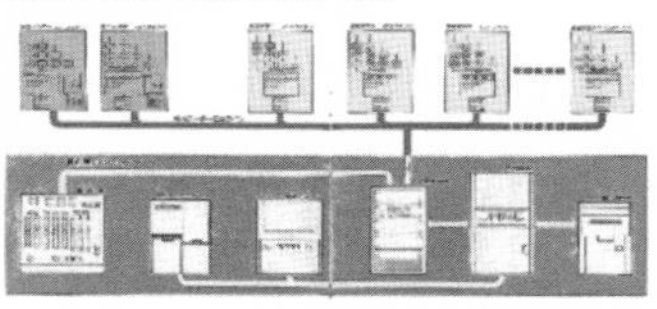

昭和54年（1979年） 完成した川島小学校の新校舎。校内すべての教室で児童の理解度を表示したり、そのデータを集約・分析したりできた。（左／左上から）：普通教室、校舎全景、学習センター、理科室（右／左上から）：コンピュータ室、コンピュータ操作卓、システム図

の言い値が通り、水野君に目配せして、ともに内心ニヤリと決定を喜んだ瞬間だった。

国内だけでなくＯＥＣＤからの見学も

工事は校舎の建築と並行して進めるので、すべての教室の児童の机の位置まで教壇から配管を埋め込み、各教室の教壇と先生の机の位置へ、コンピュータ室からの配管も入れることになった。児童の机の位置に合わせて教室の床に取り付けた子機接続用の埋め込みコンセントプレートは、ステンレス板を加工した新設計品とした。

全23教室に設置したティーチングアナライザーのデータを集めて分析するコンピュータは、当時、日立のＨＩＴＡＣ 10と競り合っていた東芝のＴＯＳＢＡＣ-40を採用し、納入した。テレタイプや磁気記録装置、アンケートや

身体データを読み込むカードリーダーなど、どこに出しても恥ずかしくない、立派なコンピュータ室を創ることになった。

合計で1000を超える各教室の子機、500を超える床用子機接続プレート、20台を超えるティーチングアナライザーの設置と入線、コンピュータへの接続や調整。10人余りのメンバーによる夜を徹しての作業……。まさに大工事を終えたときは、関係したメンバー全員が感激ものであった。

大学から、計画に従って、若くて元気で優秀な新卒の先生が何人か配置され、授業が始まる。県内の教師による研究授業、全国的な教育研究会での発表が続き、日本国内だけでなく国際機関のOECD（経済協力開発機構）などからの視察もあり、町長さんと校長先生の目指した効果が大いに発揮されることになった。

冷蔵庫自動管理システムを突貫開発

新たな事業を創出する必要が……

北海道で大講義室アナライザーを創っている頃には、入社して10年を過ぎていた。

中学時代から「独立志向」があったため、その初心がくじけるのではないかと気になることもあった。だが、当時は開発や製造、販売のすべてで陣頭指揮を執っていて忙しかったので、独立に動くような余裕はなかった。

それに、仕事そのものが非常に楽しく、思うままにやっていたので不満がなかった。このような状況の中に、独立に踏み出す理由はまったくなかった。

ただその一方で、真剣に自問していたことがあった。それは、「このまま教育機器の仕事を続けていてよいのか」ということ。

学校市場の案件は予算仕事だから、現場の先生方に「いいね！」と言われ、検討をしてもらっても、「予算が付かなかった」と言われれば、それでおしまい。また、こちらの提案した仕様で予算が付いても、競合他社に入札で持ち去られたり、抜け駆けされたりすることもままある。

そうした事態になっても、学校側の人たちが民間のように責任を感じる構造になっていない。さらに、教育機器を主に検討する視聴覚研究の先生方が、教科の研究会に所属しているほかの先生方に勧めてくださっても、なかなか活用が広がらなかった。

――そもそも学校教育の長い歴史上、本当に教育現場に定着した教育用機器は何か？

そんなことも思ったが、考えると黒板ぐらいしか思い付かなかった。

近代教育の１００年間で現場に定着した機器が黒板だけとは……。

いろいろ考えると、どうも目の前の仕事が虚しくなり、事業としてこのまま続けていてはダメだとの思いに至った。そして、別の分野での新製品の開発に思いを巡らし始めた。家電の品質が向上し、それまで工場のメイン業務だった大規模対策修理も少なくなっていたので、会社全体としても新たな仕事の確保が必要になってきていた。

10年間の教育機器開発で培ってきた技術とは？

そんな中、修理の仕事で関係が深かった東芝のサービス会社から、ホテルの冷蔵庫自動管理システムの相談があった。客室の冷蔵庫のロックをしたり、中身の消費を検知してフロントで精算したりするシステムができないかとのこと。そうしたシステムが、少しずつ世の中に現れ始めていた。

10年間、教育機器の開発で培ってきた自分たちの技術は何？と自問していたときだったこともあり、ひらめいた。

教室からデータを集めるのと、客室から反応を集める「リモートセンシング」は同じ技術！　サービス会社には東芝の冷蔵庫を販売する大義名分があり、全国にあるグループ会社が扱ってくれればシステムの販路も確保できる！

かつて「事業展開をするには……」的な本を読んだことがあった。その中に、「経験と知識、コネが必要」と書いてあって、今も忘れずにいるが、冷蔵庫自動管理システムの事業化は、まさにその条件にドンピシャだと思った。サービス会社との話がまとまるや否や、早々に岐阜の恵那市にあるホテルから発注があった。確か54室だったと思う。

頼もしい上司と強力な助っ人

当時はインテル製の8ビットマイコン8080が普及していて、東芝の12ビットマイコンはマイコンの本流とは言えなかった。そうした中だったが、教育機器の親機などでは、東芝の12ビットを採用していた。これは、将来的により高度な処理が必要になるとの考えに加えて、東芝びいきもあったから。

だが、新たな冷蔵庫自動管理システムの開発にあたり、冷蔵庫側の端末に使うマイコンは8ビットで行くことに決めた。

当時、新タイプで高速処理ができるZ80が安価で広く世に出たことも理由の一つ。冷蔵庫側に付ける端末（デバイスと言っていた）は少なくても数万円の価格となると思っていたが、その心臓部のマイコンチップZ80が数百円で手に入った。

数百円のマイコンチップにソフトを組み込むことによって100倍、1000倍の金額で評価される製品ができると考えると、「これこそ付加価値の世界だ！」と感動したことを覚えている。

また、それまで一人事業部、一人責任者で突っ走ってきたので自分の直属の上司といえば社長だったが、この仕事から、頼りにできる上司もできた。

サービス会社との折衝責任者だった工場長の中根さん。教育機器の製造でも、ラインの確保や調整に協力してもらっていたが、冷蔵庫自動管理システムの開発については、心配も、応援もしていただいた。

さらにもう一人、強力な助っ人がいた。先述したアイカメラのデータ抽出装置を開発したとき、テレビの走査線について教えてもらった宇佐美さん。松下の試験機などの製作を請け負っていて、デジタル回路に精通し、高度な技術と実績を持っていた。

宇佐美さんの会社は私が車で自宅に帰る方向にあったので、早い時期から帰途に立ち寄っては何かと教えてもらっていた。

初出荷直前、想定外のトラブルが発生

ホテルのフロントに置く管理システムの本体には、既存の教育機器用の装置を充てた。学校用のマークカードによる採点装置を創った経験があり、その本体をそのままのデザインで使えたのだ。

冷蔵庫の中に飲み物を収納する棚を作った。瓶や缶を4個ほど横に並べられる棚をステンレス製の板で組み立て、3段または5段並べる。飲み物を収めるそれぞれの箇所に、磁石付きのレバーと、そのレバーの位置を感知するリードスイッチを付け、前面を白い塩ビ

の板でおおった。

冷蔵庫本体の扉用に、フロントから遠隔操作できるロック機構を考え、金型を起こして小さな樹脂カバーを作った。

これらの考案や試作には、5人ほどいたメンバーが取り組んでくれたが、中根工場長にも棚の構造やロック機構の検討などで、積極的に参加してもらえた。

恵那のホテルに納める54台の冷蔵庫すべてに、棚やロック機構、デバイスを組み込んで工場の床に並べ、それらを通信線でつないで本体の電源を入れたのは、出荷予定日の終業時刻も近い夕暮れだった。間もなく運搬用のトラックが来た。

もちろん小規模のテストはしていたので、大きな問題はないと思っていたのだが、電源を入れた途端に、あちこちからカチャ、カチャと音が聞こえてきた。冷蔵庫のロック機構が勝手に動き出したのだった。

想定外の事態が、工場長をはじめ、テスト支援や梱包積み込みを待つたくさんの人の前で起きたので、見ていた全員が肝を冷やしたに違いない。

トラックを待たせて――未明の出荷

ソフトを創ったのは私。プロジェクトの責任者も私である。助けを求めることもできず、動揺した様子を見せるわけにもいかず……、まずは、運送会社の運転手さんを含む作業予定のみんなに、しばらく残ってくれるように依頼。一人、原因を考える。

回路図とにらめっこしていろいろ考えた結果、一つ原因らしきことに思い当たった。データ通信のマイコン受け口に割り込み機能を使っていたことだ。原理的には動くはずであったが、ノイズを拾って誤動作をしていると判断。幸い、大幅な回路の変更ではなく、主にソフトで処置できることが分かった。

手分けして冷蔵庫すべてのデバイスを取り外して、プログラムを書き込んだROMを外し、紫外線を当てて内容を消去。簡単な回路変更をして、修正したプログラムを再び一個一個書き込んで装備した。

結果、深夜になった最終テストで異常は認められず、未明に出荷。ホテルではすでに朝から設置工事が予定されていたので、納入先が近県だったのが幸いした。冷蔵庫自動管理システムの初出荷であったが、納入後のクレームはなく、私も納入先へ行くことがなかったので、今もそのホテルの正確な場所は知らない。

問題を解決して当たり前の立場

後日、同じ冷蔵庫自動管理システムを納めた名古屋市内（千種区）のホテルで、何台かの冷蔵庫のドアロックが動かなくなるクレーム事案が発生した。

原因を調べるためにホテルを訪問して驚いた。部屋に入ろうとしてドアのノブを触ると火花が散る。フカフカのじゅうたんによって静電気が発生し、人の体が帯電してしまっていた。

トラブルの原因は即座にひらめいた。冷蔵庫側の心臓部であるデバイスから冷蔵庫の側面のドアロックへの配線を通じて、静電気による火花を飛ばすほどの電圧が掛かって電子回路を壊しているのだと思われた。

まずは、現象の再現。当時、我が社の工場では、多角化の一環としてオフィスチェア(事務椅子)を組み立てていた。加工されたパイプを塗装する装置があって、塗料を均一に塗布するために静電気塗装をしていた。工場に戻ると、強い静電気が生じるその塗装現場に冷蔵庫を持ち込み、迷わずロック機構をその装置にかざしてみた。すると案の定、トラブル事象を再現できた。

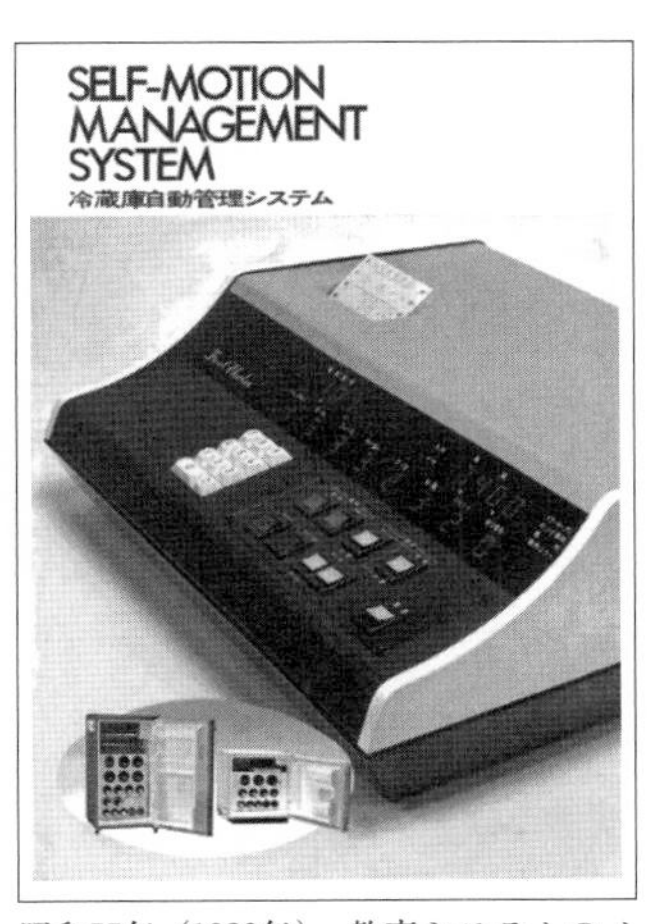

昭和55年(1980年) 教育システムのノウハウを産業用に展開した、ホテル用冷蔵庫自動管理システム

そこで対策として、デバイスの入り口に10KΩの抵抗を入れると、見事に問題が解決した。このときもオームの法則が役立ち、「電気を志すならオームの法則」を実感した。

こうした問題はしばしば発生していたが、そのつど工場長や所属メンバー、他部門、外部ブレーン、外注さんの協力を得て解決をしていた。このときも大いに自己満足したが、思えば寂しい立場でもあった。企画から開発、製造まで、すべての責任を自ら背負い、問題を解決しても誰も褒めてくれる人はいなかった。

テレビ視聴課金やリネン管理も——冷蔵庫自動管理システムの多用途展開

冷蔵庫自動管理システムを取り扱ってくれた東芝のサービス会社は全国に展開していたので、この事業は順調に実績を積んだ。

また、ホテルでは、冷蔵庫以外にもフロントで知りたい客室の利用状況がいろいろある。例えばテレビ視聴課金もそうしたニーズの一つで、冷蔵庫自動管理システムのオプション機能として付加し、京都駅前の700室を超える大ホテルにも納入した。このときは、いわゆるホストコンピュータにも初めて接続した。

ほかにも、同様のオプションとしてリネン管理システムも開発、各地のホテルに納品した。このシステムの機能は、ホテル各室の「ステイ」「連泊」「リネン待ち」「リネン中」といった状態を示すもので、フロントに、その表示機能が付いたキーボックス（本体）を設置した。

さらに、ホテルつながりでは、ファッションホテルの入場誘導や時間管理システムも手掛けた。この管理システムを、我々は「TUB」と名付けた。TUBとは東芝ウルトラボーイの略。ＵＢはホテルのボーイさんに引っかけた「ウルトラボーイ」の意味だが、Ｔが東芝を指すことまで知っているのは当時も今も私と水野君だけだと思う。

このシステムはホテルによって一軒一軒特徴があるので、続々と入ってくる問い合わせをＦＡＸで受け、速やかに仕様と見積もりを返信した。この手法が好評で、自分の仕事をＦＡＸの番人のようだと思ったこともあった。

40年経った今、ネオレックスの主力商品である「バイバイ タイムカード」への問い合わせにメンバーが対応している。いろいろ複雑な要請があっても、素早く見積もりを出している様子を見ると、私はこの頃のことを懐かしく思い出す。

スタッフの増加と事業分野の拡大

ＴＥＳＳ――部署名も創る

当時、一人事業部から発展した自分たちの部署を特機事業部などと称していた。教育機器からホテルの冷蔵庫自動管理システムまで、なんでも目まぐるしく開発を手掛けていたので、「なんでもやる課」的な部署名であった。

ある日、工場の近く（師勝町の片場）にあったレストランで水野君と昼食を取った。そのとき、正式に部署名を決めようという話になり、「我々がやっていることってなんなのだろう」と考えた。

結果、名付けることとなった部署名が、トータル・エレクトロニクス・システム・サポーター、略してＴＥＳＳ（テス）。これが、実態と志向に合っているだろうと、二人の意見が一致した。

このＴＥＳＳという名称は、社内でも取引先でもすぐに馴染んだ。本社の営業部隊が、「今度ＴＥＳＳという部門ができまして……」などと客先で話してくれたのであろう。

東芝の空調部門からクーラーの集中制御システムの開発を依頼されたり、石川島播磨重工業（現・ＩＨＩ。以降ＩＨＩと表記）からトンネル工事で利用されるシールド掘削機の制御装置の製造を請け負ったり、多くの案件を手掛けた。

我々のそれまでの開発や製造は、いわば我流。開発手法も品質管理も自前で、ただただ顧客の期待に応え評価を得たい一念だった。

その一方で主張もした。あるときなど、販売を一手に引き受けてもらっているサービス会社の部長さんと喧嘩をして、工場長に無理やり握手させられたこともあった。しかし、そのときも持論を曲げることはなかった。

今思うと、どんな顔をして握手したのであろうか？

シールド掘削機の制御装置を開発

それはさておき、ＩＨＩのシールド掘削機の制御装置の開発は、大いに勉強になった。掘削機の制御はアナログの世界で、私の苦手分野だった。

大きな縦穴を掘り、強固な歯の付いた直径数メートルの「お椀」を地面に掘った大きな穴へ下ろして、横方向にそれを掘削面に当て、歯を回しながら強力な油圧ジャッキで押し進む。掘進のスピードは毎分数ミリ。お椀の中に入った土をロータリーコンベアで吐き出すのだが、土の吐き出し量が多いと地表が陥没し、吐き出す量が少ないと地表が隆起してしまう。掘削機の前面の土圧などの条件を見て、ロータリーコンベアの回転数を調節するのが制御装置の役割だった。

どうして苦手分野に首を突っ込んだものか、今となっては無謀にも感じるが、当時はＴＥＳＳの陣容も膨らみ、人材の活用を図る必要が生じていたという事情もあった。ホテルの冷蔵庫自動管理システムで応援配属されてきた二人が制御盤の設計をしていたので、そのパワーを発揮してもらう必要を感じていた。

とにもかくにも、この制御装置の開発に成功し、後々毎月のように出荷するほどの仕事にできたのは、ＩＨＩの技術責任者の方と一緒に問題解決に取り組んだりして同志意識が醸成されていたことも大きかったのではないかと今にして思う。いささか厳しい方でもあったが、休日の緊急対応時に、我が家の「書斎兼開発室」まで足を運んでいただいたことを、ありがたく思い出す。

そして何より、この苦手分野を切り拓けたのは、アナログ制御とフィードバックを教えてくれた宇佐美さんのおかげ。

最近、30年ぶりに中根工場長ご夫妻にお会いしたとき、「誰だったかな？　社外の人に会社の作業服を着せて出かけて行ったよなー」と言われた。そういえば、私は時に突拍子もないことを思い付く。このときも軽い気持ちで、お世話になっていた外部の師匠にお願いしたのであろう。

作業服を着て、一緒にＩＨＩに行ってくれたのは宇佐美さんだったと思う。

そうしていろいろ教えてもらっても、私がすべてをマスターしたわけではない。自分にそこまでの力がないことはハナから分かっていた。教わったノウハウや知識は、速やかに会社に持ち帰って設計メンバーに伝えた。要は伝令をしたに過ぎないが、矢面に立つ立場上、ポイントは押さえていたつもり。

20年勤めた会社を退職するとき、育て上げた5つの仕事を残して来たが、掘削機の制御装置もその一つであった。

第2章

夫と妻の役割分担

【家族】

学校で先生に褒められたのは2回だけ

戦後間もない頃の学校生活の記憶

いったん幼少年期に話を戻す。

父が戦地から帰り、親子3人が揃ってから、親父が勤めていた会社に近い瑞穂区の太田町に住むようになった。

柳城幼稚園に通い、御劔小学校へ入学した。入学した日に教室の鉄の火鉢で火傷をしたことや、授業参観の日に「バナナを食べたことがない」と大声で発言し、早速その晩、家でバナナにありついたことなど、いろいろ思い出がある。

後に高校で出会い、やがて結婚することとなった佳子さんも、同じ柳城幼稚園で1年間一緒だったことが後で分かった。

戦後間もないこともあり、小学校では運動場に並んでＤＤＴ（今は使われていない殺虫剤）を頭から掛けられたり、授業が二部制で廊下から午前の授業をのぞいていたりしたこともあった。楽しかった記憶としては、先生に引率されて映画館に出かけ、『名犬ラッシー』の映画を見たことや、給食の食器を2枚単位で数えて密かに優越感に浸っていたことなどを思い出す。

全治3週間のケガをしても皆勤賞——小学時代

私が小学2年生の時に熱田区に引っ越し、白鳥小学校に転校した。

2年生の教室は、運動場から、アメリカの国旗が印刷された脱脂粉乳のドラム缶が並ぶ坂を下っていった先の、薄暗い部屋だった。終戦からまだ6年、教室は70人近いすし詰め状態である。

3年生になって、熱田神宮の西にある道に接した2階の教室になった。その教室では、名港（名古屋港）へ行き来するタンクローリーが垂らす鎖の音を聞いて、授業中に何台通るか当てっこをしていた。その後、そこの校舎と運動場が50メートル幅の道路（国道19号）になり、当時の道はそのまま残って熱田神宮の周囲を巡る歩道となっている。

ほかに印象に残っている小学校の思い出というと、住み込みで編み物教室を手伝っていた痩せ型のトシちゃんと、対照的にふっくらした私の母親について書いた作文が学校の玄関に掲示され、引っ越し間もなく肩身が狭かったお袋に喜ばれたこと。

そういえば、学校の先生に褒められた覚えがあるのは、この作文と、フリーハンドで黒板に真っすぐに線が引ける特技を披露したときの2回だったと思う（この線引きの特技は、後の仕事でも大いに役立った）。

子ども時代から、あまり周りを気にせず、マイペースの生活を送っていたようだ。ある日の夕方、交通事故に遭い、「全治3週間」と新聞に三段の記事で報じられたことがある。

翌朝、校長先生と教頭先生が自宅へ見舞いに来られたが、本人は学校に行っていた。おかげで卒業の時には、6年間の皆勤賞としてそろばんがもらえた。

やればできると分かって手を抜いた勉強――中学時代

地元の宮中学校に進んだ際、クラスの室長に指名された。小学校でよくできていた子はおおかた私立中学に行ったので、思いがけずお鉢が回って来たという感じであった。

中学校で初めて触れる英語は、最初、面白そうな教科だと思ったが、早々に、将来役に立つことはないだろうと諦めた。単純記憶が苦手で、単語が覚えられなかった。

数学だけは興味をもつことができ、理屈がつながれば記憶もできると分かった。いわゆるエピソード記憶（イメージ記憶）であろう。

中2になる頃、好きなその数学で成果が出て、一時的に勉強が好きになったことがある。職員室の廊下の壁に実力テストの順位表が貼り出され、そのトップに名前が出た。塾仲間の美代ちゃんから「先生が、この子はいつかやると思っていたって、駒ちゃんのこと話していたよ」と言われ、嬉しかった。

だが、やればできることが分かったので、それ以後、勉強の手は抜くことになった。

大学は「一点突破作戦」で合格

志望校は高1の夏に決定

私が進学した高校は、県立瑞陵高校。

昔は旧制第五中学校だったので校舎が古く、当時「新館」と呼んでいた講堂も大正時代に建てられたものだったが、自由放任の校風が私には合っていたようで、充実した楽しい高校生活を過ごすことができたと思う。

高1の夏休み、母方の俊雄叔父さんに紹介されて、瑞穂区の電器店でバイトをした。その電器店のご主人から「電気が好きなら金沢がいい」と言われ、そのときから志望校が金沢大学に定まった。

もともと電気に関心があった私は、高校に入学してすぐアマチュア無線技士の免許を取り、無線機や、放送部の活動で全校放送用のアンプなどを作った。

受験勉強の極意は絞り込みと過去問

ただ、早々に志望大学を決めていた割には、高校でも、勉強はそれほどしなかった。

専ら部活に熱中していたというほどでもないが、中学校で知った「やればできる」理論で、大学受験に向けた勉強も高3になってから。だが、いざ始めれば集中してのめり込み、各教科とも、過去問中心の勉強に精を出した。

高3の夏休みに学校へ行って、教室の机を真ん中に寄せ、その上に机と椅子を置いて勉強したことを覚えている。窓の高さにいると見晴らしもよく、風も通ると思ったからだ。

それにしても、もともと記憶力がよくないので、当時の受験教科7科目のうち、社会科系には苦労した。特に世界史では、日本史と結び付けた年代記憶法を考え苦心惨憺したが結果が出ず、つくづく自分の記憶力の弱さをうらんだ。

だが、目指す志望校が定まっており、その金沢大学の入試は理数系科目に配点の比重がかかっていたので、その点では楽もできた。受験で不要な科目の授業時間を、近くの図書館へ行って受験科目の勉強に充てた。

受験学科は、もともと電気系の学科を考えていたが、「強電より弱電」と思って電子工学科を選んだ。

強電とは動力・エネルギーとして電気を扱う分野で、あえて分ければ電気工学、それに対して弱電は、通信や情報伝達手段として電気を扱う。その弱電がすなわち電子工学であると思っていた。

豪雪の中での受験「やるだけやったらお疲れさん」

受験の年、金沢は「三八豪雪(さんぱち)」に見舞われていた。昭和38年（1963年）1月を中心に、北陸などに降った大雪だ。街は家屋の2階から出入りできるような積雪で、試験会場となった教室の窓の外も雪の壁だった。

そんな中、試験に臨む。2日目の数学は満点だと思ったが、そのほかの科目の出来はよく分からなかった。

ただ、英作文と小論文で書いた内容は覚えている。英作文のほうは金沢について書く問題、小論文は「高校時代」という課題で、どちらも少ない語彙を駆使してなんとか書いた。

高校時代について書く小論文では、私は大上段に「日本は若者のパワーをもっと活用すべきである」と論じた。帰り道、「中身で勝負」と強がってみたものの、果たして出来はどうであったろうか……。

いずれにしても、くよくよ悩むタチではない。名古屋へ帰る特急しらさぎに乗る頃には、もうサバサバした気持ちになっていた。このとき、車内があまりにも混んでいたので、なけなしのお金をはたいて、生まれて初めてグリーン車に乗った。

この話は親に言ってなかったかもしれないが、大学に落ちたら東京に丁稚（住み込みで働く江戸時代からの働き方）に行くと決めていた。そうなった場合の「最後の贅沢」だから、いいじゃないかと思った記憶がある。

後日談になるが、翌年、母校の瑞陵から金沢大学を受ける生徒が増えた。毎年、高校が進路選択の参考として、成績別の合否大学一覧表を生徒に配っていた。そして、私が卒業した翌年、その一覧表の成績低位欄に「金沢大合格」の白マークが付いたのである。

金沢大受験者が増えたのはそのためだが、私の受験戦略を知らない現役受験生の多くは、あえなく不合格になってしまった。

高3の時、瞬間風速として一度だけ校内順位が50番台だったこともあるのだが、あのときは後輩たちにそういったことを発表するすべもなく、誠に申し訳ないことをしたと思っている。

ともかく卒業! 可で結構、良ならなお結構

肝を冷やした進級や卒業

晴れて合格した電子工学科は、私が入学する前年にできたばかりの新鋭学科で、優秀な

学生が多かった。記憶力が弱く勉強が嫌いな自分は、ついていくのがいささか大変だった。

1年目は専攻に進む前の教養部。その統計学の授業で、「統計はじっと見つめて考えるもの」といった基本が身についた。

統計数字といえども、作成する人物がどんなふうにデータを見せたいかで、まとめ方や見せ方が変わってくる。だから、数字の背景まで「じっと見つめて考える」のが大事である。この姿勢は、その後の人生でも役立ったと思う。

入学後1年半で、教養部から専門課程に行くことになるが、そのときには苦労した。ドイツ語や英語など、記憶系の科目は依然苦手。ヨット部の先輩に教えられるまま、ウイスキーを持って教授宅へお願いに行くなど、裏技も使ってなんとか進級した。直後、翌年から教授会で進級を審査することになったと聞いたときには、肝を潰した。

それでも卒業するときは、学科で下から6番目の成績ではあったが単位が揃い、難関を突破して無事に社会に出ることができた。

大学は知識を習得する所ではなく、理論やものの仕組み、考え方を身につける所と心得ていたから、講義の選択でも記憶力の必要な知識系科目は避けていた。成績は「可で結構、良ならなお結構」という方針。ともかく卒業の単位だけは取らねば！と考えていた。

あえて「難関」と言ったが、実際、工学部の同級生300人中、50人ほどが卒業式に出られなかった。

「高校を卒業したら家を出る」これも家訓？

金沢時代の思い出で一番印象が強いのは進級の苦労であったが、ほかの思い出も書ききれないほど多くある。

入学後のレガッタ（ボートレース）で優勝し、獲得した日本酒を仲間と下宿で飲み過ぎて死ぬかと思ったこと。女子短大へ行って合コンを主催したり、ヨット部主催のダンパ（ダンスパーティー）で、恥ずかしくてダンスの列に入れず傍観していたりしたこと。ボウリング場でアンケート調査のバイト中、競技未経験にもかかわらず、お客に聞かれて投げ方の指導をしたこと。一時、パチンコにはまって、手持ちの生活費が千円しかなくなってしまったことや、長期間洗濯物をためてしまい一日中洗濯をしていたことなどなど。

車の運転免許を取った直後、バイトで4トントラックの助手席に座ったときに、ハンドルを握っていた社長が「運転してみないか」と言ってくれたのに断ってしまったことがある。後に、田舎の小学校で親しくなった先生から「教壇に立ってみないか」と勧められ断ったこともある。この二つは、「やっておけばよかった」と今でも残念に思うこと。

一人暮らしで、身をもって自分の強みや弱みを自覚したことも多く、誠に有意義な4年間だったと思うので、「高校を卒業したら家を出る」を我が家の家訓として、子どもたちにもそれを実践させた。

誰もが車にあこがれた時代

今と違って、当時の若者は誰しも車にあこがれていた。私も、運転免許証を早く取得したかった。

だが、お金のない学生だった私は、そこで考えた。学校で勉強するのが仕事である学生が、どうして何万円もかけて自動車教習所の講習を受けるのだろうか？

学科の教習本など、数百円で売っているではないか。実技も、若い分上達しやすく、早く習得できるに違いない。

そう考えていろいろ調べたところ、金沢市内に、しかも当時住んでいた寺町のはずれに元自衛隊の訓練場があり、そこに行けばあまりお金をかけずに運転を練習できることが分かった。

最初の基本だけ教官が教えてくれ、数回は助手席に同乗してくれただろうか。その後は独学となった部分が多かったが、数種類のコースを何回も繰り返して運転でき、実にありがたかった。

そうした練習が10回に満たない頃と記憶しているが、石川県の運転試験場へ免許の試験を受けに行った。

学科は思ったよりよくできたと感じたとおり、難なく合格した。だが、実地は散々だった。試験官を助手席に乗せて試験コースに出たはいいが、心臓はバクバク、脚はブルブル……。とても合格できる状況ではなかった。

下宿に帰って考えた。練習では上手く運転できるのに、どうしてダメだったのか？　思い当たるのは、単に上がってしまっただけに違いないということのみ。

もう一回ダメな場合は学科も取り直しになるが、次は必ず受かるはず。そう心に言い聞かせて、数日後に再挑戦して見事に合格した。合格ついでに、自動二輪の免許も取ってきた。

大学を卒業後、小型船舶免許（当時の4級）も同じ方式で受験した。

大学でヨット部に所属していたから、少しは有利になるかと思い、実地試験の開始前に、試験官に「私、ヨット乗りなんです」とあらかじめ申し出ておいた。

試験中、「巡航速度に」と言われた際、「エンジンは何回転にすればよいでしょうか？」と聞き返したり、着艇時に停止できず、試験官に「ギアが抜けていないよ」と注意されたりしたが、無事に合格することができた。

その後も今に至るまで、小型船舶1級や特殊無線技士免許など、ほとんどの資格を学校や講習には行かず、自学自習方式で取得している。

もとはと言えばお金がなかった学生時代の思い付きとはいえ、これはよい自己啓発法だと思い、息子たちにも勧めてきた。

我が家の愛車はポンコツクラウンからパブリカ800に

学生だった私が自動車運転免許を取った頃、まだ免許を取る前だった親父が、中古でトヨタのクラウンを購入した。

金沢にいた私が購入のいきさつを詳しく聞くことはなかったが、当時、弟も免許を取ることができる年齢になっており、親父は会社を早期退職する頃。独立したら車が必要になると思って、先行投資をしたのであろう。

その後は帰省をするたびに、朝、親父を会社へ送るときなど、自由に車に乗ることができた。

ただ、このクラウンはあまりに古く、発進しようとすると時々、トランスミッションのギアが噛んでしまい、ボンネットを開けなければならなかった。エアコンも付いてはいたがほとんど効かないポンコツであったので、早々に、トヨタのパブリカ800に買い替えることとなった。

金沢への行き来にも親父の車を使うことがあり、走行コースの選択など、時間短縮を意識して走るのが面白かった。

愛知県北設楽郡の東栄町にあったお袋の実家にも、年に何回かパブリカ800で向かった。東栄町への行き来では、山岳コースを飛ばすのが楽しみになっていた。

名鉄神宮前駅の踏切でエンスト（燃料切れ）を起こしたり、比叡山の長い下り坂でブレーキが効かなくなったり（エアーかみ）、いろいろ経験をして車には詳しくなった。

このパブリカ８００には、自分で回路を考えて、自作の間欠ワイパーを取り付けた。今ではどの車にも付いている、小雨のときなどに数秒おきにワイパーが動く機能だ。

大学の専攻で電子回路を学んでいたとき、好きな学科なので前向きに学習していたが、あるとき、間欠ワイパーのアイデアが浮かんだので、特許申請をしてみた。

本を参考に、見よう見まねで申請書類を書いて特許庁に送ったところ、ほどなく拒絶のハガキが来たので特許の取得は諦めた。

卒業後、特許申請した回路を実際に試作して、パブリカ８００に取り付けた。これが誠に便利で役立つものだったので、特許の拒絶理由は、ひょっとすると単純な書類の不備などではなかったかと、今でも少し気にかかっている。

結婚を前提にお付き合いを……

見合い話が来て真剣に考えた

就職して2年が経った頃、俊雄叔父さんが見合い話を持って来てくれた。高校の時、電器店でのバイトを紹介してくれた母方の叔父である。

この叔父は、お袋の里、三河の田舎から出て来て頑張り、トヨタの販売会社の役員を務めた人。何かと私を目にかけてくれ、大学を決めるきっかけとなったアルバイト先だけでなく、大学の夏季休暇で帰省中も、修理工場の洗車やレンタカー会社のアルバイトを紹介してくれた。

叔父さん夫妻にはいろいろ世話になったが、叔母さんから頼まれた親戚の集まりへのメッセージを伝え忘れる失態など、迷惑を掛けることがあって今も反省している。

その叔父からの見合い話であり、真剣に考えた。

それまで、お付き合いというほどではなくとも、会話や行動をともにすることの多い女性が何人かいた。ずっと男女共学だから身近に女の子がいて、あまり意識しなくてもちょっとしたきっかけが生かせていたのであろう。

そうした人たちを思い浮かべて、このとき、再認識した。自分は佳子さんへの思いが強かったということをである。

佳子さんとは、放送部のOB会で顔を合わせる程度で、高校を卒業してからしばらく連絡を取っていなかった。だが、大学時代、私の下宿へ突然電話があり、久しぶりに金沢で会う機会があった。会社の先輩と能登へ旅行に来た帰りとのことだった。

高校を卒業して、結婚を前提としたお付き合いを申し込むまでの6年間で、一度だけのデートとも言えるわけだが、お互い、当時は学校と仕事に没頭していたと思う。

二人が出会った場所——高校時代の放送部

今でもやるのだろうか？ 高校に入学した直後、新入生が講堂に集められ、応援団の先輩から校歌や応援歌の指導を受けた。旧制五中からの伝統行事だった。

クラブ活動は放送部に入った。電気に興味があり、放送機材を製作できると思って決めたこと。

入学早々、新入部員3人でアマチュア無線の試験を受けた。3人とも合格して連続したコールサインが割り振られたのだが、そのときに私がもらったのが「JA2CFL」。ヨットの遠洋航海検査証に必要なので今でも使っているが、このコールサイン、実は今では手に入らない骨董ものである。

当時は開局するかしないかにかかわらずコールサインが発給されていたので、「JA＋

地域番号（東海地方は2）＋3文字」のコールサインは、あっという間になくなってしまったからだ。

放送部は、アナウンス担当と技術担当に分かれていて、狭い部室の奥はアナウンス室、手前は半田の匂いがする工作室となっていた。

技術担当は校内放送用のアンプも自作していた。運動会の準備で本部席にマイクを設置したり、運動場に溝を掘って配線を埋めたりなど、前日の夜遅くまでテストをしていて、近所の家から学校に苦情が来ることもあったが、放送機能の確保には、ほかのクラブと違って大いに学校に貢献していたと思う。

私ニュース記者、佳子さんはアナウンサー

放送部は、さまざまな企画を立てて、かなり自由に活動していた。

図書室でコンサートを開いていたのは大道寺君。私も、友人が家から借りてきてくれた車で熱田球場まで機材を運び、高校野球の音声を録音し校内で放送したりしていた（当時は16歳から運転できる小型自動車免許があった）。

2年の時、校内ニュースの原稿は私が書いてアナウンス担当に渡していたが、顧問やほかの先生による検閲も事前チェックもなく放送していた。今思えば、なんと自由だったの

昭和39年（1964年） 中日ブルーバード賞受賞（中日新聞写真部撮影）の佳子さんとヨット部の私

だろうと思うところ。
そのとき、私の書いたニュースを読んでいたアナウンス担当が、1学年下の佳子さん。これが、結婚する8年前の話。
高校はバンカラ（あえて粗野にふるまうこと）だった。デートで地下鉄に乗り、栄の繁華街へ行くときも高下駄だったし、友人の辻君などは、学校に近い桜山のパチンコ店で古文の先生に会い、「出てるか？」と聞かれたと話していた。

電話が一発でつながるという「幸運」

その頃からすでに6年以上、最後に佳子さんと会ってからも2年余りが経っていた。
佳子さんは高校時代から、声の図書館で視覚に障害のある人のための朗読のボランティアをしていた。私が高校を卒業して金沢に行った後も、その活動を続けて中日新聞社主催の中日ブルーバード賞を受賞するなど活躍していた。
そして、私が大学で苦手な勉強とアルバイトに励み、ヨットに親しんでいた頃から、日産化学名古屋支店の営業事務として、生き生きと楽しく働いていた。

見合い話がきっかけとなって、突然ではあったが佳子さんの自宅へ電話をした。今のように携帯電話はなかった時代、彼女が金沢の下宿に連絡をくれたときもそうだったが、電話がすぐにつながる幸運に恵まれ、会社の帰りに会うことにした。

当日は、名前のよく似た別の喫茶店で待ち合わせてしまうというハプニングがあったが、間違いに気づいて無事会えた。そうしたいくつかの幸運にも後押しされ、交際が始まった。

交際が始まって間もなく、「結婚を前提に付き合ってほしい」と彼女に告げた。考えさせてほしいとのことだったが、次に会ったとき、「私たち、先輩・後輩の関係でいたい」と言われた。

その晩、家に帰って考えた。もしかしたら、お母さんに反対されたのかも……。彼女のお母さんは、早くに事故で夫を亡くし、女手一つで、二人の息子と、末っ子の佳子さんを立派に育て上げた女性である。

そんなお母さんにとって、佳子さんは目の中に入れても痛くない娘。何かにつけて最高の話し相手でもあるだろう。その娘が嫁ぎ、自分のそばに居なくなることを考えたら、寂しさから拒絶反応が出ても当然と察した。

だとすれば、どうすればよいか。思いを巡らせ、佳子さんの家族で「父親に代わる大黒柱のような存在」だと思われる、一番上のお兄さんに会って、力添えを得るしかないと考えた。

一世一代、お兄さんに思いを語る

そこで、佳子さんに話すことなく、電話帳で調べたお兄さんの勤務先へ電話をし、彼女の家の近くの喫茶店で会ってもらえることになった。

緊張して名刺を差し出した。生涯で最高に緊張していたと今でも思う。そうさせたのは、もう佳子さんしかいないとの思いだったろう。

そして、自分の独立志向を話したのであろうか。私はあまり能弁ではないが、聞き手が上手に乗せてくれると、目を見開いて一気に思いを語る傾向がある。お兄さんがうまく私を乗せてくれたのであろう。

お兄さんは帰宅後、お母さんに私のことを絶賛してくれたと、佳子さんから聞いた。その後は、夜9時の門限を守ってデートを重ね、比較的早く挙式にまで漕ぎ着けることができた。

お兄さんは、それ以来、私と佳子さんを大応援してくれた。後の話になるが、会社を創業してからも、しばしば「大丈夫か?」と電話があり、心配をしてもらった。

老舗企業で出世し、専務を務めた人物なので、銀行とのつながりも多く、銀行を紹介してもらったり、交渉方法を教えてもらったりもした。そのおかげでネオレックスが融資を受けた銀行は5本の指を軽く超えるほどで、今でもお兄さんには頭が上がらない。

団地での新婚生活7年間

新婚生活は、公団アパートの1DKの部屋で始まった。日進電気に入社して3年後のこと。

仕事中心の生活は新婚時代から

結婚をしても、私の生活は仕事中心。そして「私流」の一方的な押し付けと言うべきか、学校の友人や会社の同僚の訪問も多かった。だが、佳子さんは異議を唱えることなく私のやり方を尊重してくれた。

長男・拓央君が生まれると、唯一の畳の部屋にベビーベッドが置かれた。高校時代の友人である宮崎君のお母さんが様子を見に来られたとき、台所に置いたこたつで話したことを覚えている。

次男・研司君の懐妊とともに引っ越しをした。公団のルールで、二人目の子どもができると優先的に2DKに移ることができた。

2DKに移った後も、生活はほぼ100%、私の仕事が中心だった。前述したように、引っ越して増えた一部屋を両脇に引き出しがある重役タイプのデスクが占領し、後にはその横に、ソフト開発のための自立型テレタイプまで置くことになった。

家族の生活スペースは限られ、実質的に引っ越す前の1DKと同じだった。少し広くなった台所に置いたテーブルで来客と話すとき、そのテーブルの下に、生まれたばかりの研司君が寝ていたこともあった。

この団地生活の7年間、私は仕事、佳子さんは家事・育児にかかりっきりだった。

今思うと、私が子どもと接したのは、日曜日の夕方、買い物に行くときぐらい。毎晩帰りが遅いうえに、週に1日だけ自宅で過ごす休日も、ICやマイコンの研究に没頭していたからだ。

買い物に行っていたのは、当時できたばかりのダイエー。家族で買い物といっても、佳子さんが食材を買い出ししている間、私と子どもは書店にいるのが常だった。私が本を見ている間に、幼かった子どもがいなくなってしまうこともよくあった。

家事と育児は、佳子さんに任せっきり

二人の子どもに恵まれたが、私が育児に携わったことはほとんどなかった。

結婚したとき、「共稼ぎより節約」と、私は自分の考えを佳子さんに伝えた。言い換えるなら「わたし稼ぐ人、あなた家事育児」といったところだろうか。

一度だけ、研司君の運動会に行って一緒にお遊戯をしたことを覚えているが、そのほかは長男、次男ともにそうした会に出た記憶がない。育児はすべて佳子さん任せだった。

長男・拓央君が幼稚園に入った後、通園バスの中で世話係の人にいじめを受けているようだと、佳子さんから聞いたことがある。だが、「うちの息子が活発過ぎて、少し羽目を外しているのかな？　そうした子が嫌いな大人もいるからなー」と思った程度で、それ以上の話も行動もしなかった。

拓央君が幼稚園だった頃にはこんなこともあった。

珍しく、仕事を早く終えて帰宅した夕方である。公園に子どもたちの様子を見に行ってビックリした。身の丈の3倍以上ある高台から二人が飛び降りて遊んでいたからだ。

そんなことをしているとむち打ち症になってしまうと思い、佳子さんの口から、やめるように言ってもらった。

子どもを直接叱ったり、小言を言ったりすることは皆無だった。

私の意見は断定、命令口調？

団地の集会場で、保育の会が開かれていた。幼稚園に入る前の子を持つ母親たちの集まりだった。息子たちが幼稚園に上がる前、佳子さんもまず長男・拓央君を連れて行き、親子とも楽しく参加していたと思う。

ところが、次男・研司君が入会できる年齢になったとき、その会への参加をやめると佳子さんが言い出した。理由を聞くと、下にも子どもがいるお母さんは会の運営役を免除されているが、下の子が参加すると役が回ってくるからだと言う。

私はそれを聞いて驚き、佳子さんに意見を言った。なんでも、「あなたは育児のほかに何やっているの？」と言ったそうだ。

自分の意見を述べるとき、私はいつも断定、命令口調だと言われた。今でもそうした傾向はあると思うが、たぶんそのときも同じだったのだろう。

研司君と保育の会への参加を続けた佳子さんは、その年、会長に選ばれた。バザーや運動会をお母さん方とともに開催し、多忙な生活となったが、親子で楽しく活躍していた。もちろん苦労もあったと思うが、佳子さんの前向きで生き生きとした姿勢はきっと保育の会の子どもたちやお母さんのためになったと思う。そして、ひいては我が子の教育、そして自己啓発という意味でも本当に貴重な経験をしてもらったと思っている。

拓央君が小学校2年生になった5月の13日に、伝馬町の実家の一部を取り壊して新築した家に引っ越した。二十数年前、私自身がその土地に引っ越してきたのも、同じ小学2年の年の5月13日だった。

以降、子どもたち二人の小学校生活の場は伝馬町となり、私の母校、白鳥小学校へ通った。

当時は教育機器の仕事で多くの先生方と接触していた。そうした経験を通じて、「小学校6年間でいい先生に一人巡り会えれば成功。二人巡り会えれば大成功！」と思っていた。

時々佳子さんから子どもたちの様子を聞いても、特に父親としてコメントすることがなかった私の、内面的な理由の一つである。

駒井家の「愛読書」と自宅の建築

「今、貯金いくらある？」——愛読書のスタート

私が33歳の年に自宅を新築する資金を作った「愛読書」の話をしよう。団地で暮らす間に夫婦でコツコツ続けていた定期貯金の証書のことである。

結婚して半年ほど経ち、佳子さんのお腹に拓央君が宿った頃、「今、貯金はいくらあるの？」と聞いた。

すると、佳子さんには貯金をしなければいけないという意識がなかったようで、少し驚いた様子だった。私は、「将来独立するには資金が要る」と思い、そう話した。

二人で話し合い、翌月の給与から、毎月一定の生活費を除いた残りと、賞与の全額を定

期貯金にしていくことを決めた。

当時、毎月の生活費は2万5000円ぐらいだったと思うが、あらかじめ生活費を決めて、残りの金額は、残業代やそのほかの手当てもすべて含めて端数まで1年半の定期にした。ボーナス月は、その月の月額と合わせて定期にしていった。

定期証書が18枚となった1年半後からは、満期の払い戻し額とその月の積立金額を合わせて、再び1年半の定期にする。そうして毎月書き換わる18枚の定期証書のファイルが、すっかり我が家の「愛読書」となった。

新婚時代は、学校の友人や会社の同僚の訪問も多く、佳子さんは家計のやりくりに苦労したと思うが、原則を一度も崩すことなく積立額を捻出し続けてくれた。その工夫と努力を思うと「感謝」のひと言となる。

団地生活は、結婚から7年間続いたことになる。佳子さんとのフェーズ合わせと、未来への志向方針を定めた、思い出いっぱいの貴重な時期だった。

両親に頼み、実家の土地に新居を建てる

7年間楽しんだ愛読書は、定期証書が5回以上書き換えられ、かなりまとまった額となっていた。その頃、このお金を頭金にして、伝馬町の実家の土地に新居を建てたいと両親に願い出た。

なぜそのように思い立ったのか？

実家にいた弟と妹が結婚して家を出たこともきっかけだったような気がするし、自分が仕事で開発や打ち合わせに使えるミニ事務所的な書斎が欲しかったことも事実である。

だがこのときは、そうした直接的な動機というより、生活や環境の変化から、自然に「自宅を造りたい」と考えるようになったと思う。そして、思い立ったらそのことで頭がいっぱいになり、早期決着を図るのが私の個性であり、一種の病気である。

実家の土地は、都市計画の道路拡張で削られて、狭く細長くなっていたが、その土地を二分して、一方には小ぢんまりとした両親の居宅、隣接する一方に、やはり小ぶりな下宿者用の二階建ての建物が建っていた。

この二階屋は、親父が会社勤めをしながら、田舎から材木を調達し、大工さんを呼び寄せて建築したもの。今思うと、お袋の田舎にある資源や、近くに無線学校がある立地など、条件を鑑み、狭いながらも土地利用を考えて下宿屋としたのだった。

今風に言うなら「木造ワンルームマンション」。40歳前にそれを考え、決断し、実行した親父を改めてすごいと思う。同時に、私も知らず知らずのうちに影響を受けていたことは間違いない。

この二階屋を取り壊して、新居を建てたいという申し出をしたところ、両親は、渋々応じるどころか、文字どおり快諾してくれた。二人の孫がそばに住むことになるのを歓迎してくれてのことだったろうか。

家創りを夫婦で相談、こんな楽しい共同作業はない

当時、私は仕事で機器の開発設計をしていて、デザインに関しては「私が幾晩徹夜してもいいものはできない」と実感していた。また、設計と建築は分けるべきと思っていたので、建築設計事務所を電話帳で探し、最も近所にあった設計事務所を訪ねることにした。訪問したのは執行設計事務所。今では「あつた蓬莱軒」という鰻・会席料理店の駐車場になっている場所にあった。

その際、佳子さんと相談して、設計事務所に詳しい設計要望書を手渡した。例えば、居間：住居の中心にある豊かな空間、テレビに占拠されない家族団らん、寝っ転がってもよい畳の部分あり?……といった具合。

自宅を建てるに当たって、設計は十分な検討の下に完成させる、建築は設計に基づいて忠実に施工する、という原則を考えていた。

初めて建築に挑戦する知人が入札に参加

3ページにわたる要望書は、設計事務所の所長だった執行さんに大変喜ばれた。前向

きに取り組んでいただき、設計事務所に勤める若い設計士たちのコンペの結果、「Mダッシュ、14番目」となったプランで設計図を創り上げてもらえた。

設計図ができたので施工業者の入札をすることになったとき、私と同年で、親父さんの木工工場を引き継いだばかりの梅本さんから、入札に参加させてほしいと言われた。

彼は、飛び込み営業でたまたま会社へ来たのがきっかけで知り合った人。早速、執行さんに紹介して、入札に参加してもらうことになった。

結局下から2番の、予定工費に近いところで梅本さんが落札した。こうして梅本さんが、親父さんから引き継いだ木工工場で請け負う最初の建築物件として、我々の新居を完成させてくれた。いささか、いや、聞いた話ではかなり厳しい執行さんの監理の下、苦労をしながらやり遂げてもらえ、ありがたかった。

梅本さんとは、その後40年以上のお付き合いとなって、今も社屋の改築や、後に紹介する「佐原好務店」の師匠として指導をしてもらっている。

狭いながらも仕掛けがいっぱいの住まい

新居は、奥行きのない狭い土地を生かすために4層構造とした。かなりしっかりした鉄骨構造で、建築工事中、通りかかった近所の奥さんがビックリするほどの重量鉄骨が使われていた。

昭和54年（1979年） 書斎兼開発室への外来者用階段付きのマイホーム

外壁は、道路に面した西壁に真っ黒い屋根材を使っていた。これが夏には思いっ切り暖かかったこと以外は、誠に気に入った家であった。

中心に階段を置き、両側に部屋を配置した。玄関を入って始まる階段の左、1階は親父が内職幹旋仕事をしていたので作業場として提供した。その上の2階は台所、食堂、お風呂など。3階は子ども部屋。収納式ベッド2基を設置し天井は吹き抜けとした。

階段右側の、車庫の上の中二階に書斎兼開発室を造り、玄関とは別に、車庫の横に外階段を設け、入り口を付けた。これは家族のつながりのためではなく、仕事で人が訪れるという前提が当然のように頭にあった。その上の中3階は天井の高い居間。4階は寝室で、廊下に出ると吹き抜けを通して子ども部屋を覗き込むことができた。

屋上へのハッチ式昇降階段も付けた。まだ周りに高い建物はほとんどなく、新築してしばらくは、屋上で時にランチを楽しむこともあったし、熱田まつりの花火や、国道1号を走る暴走族などを見ることができた。

孫が大きくなった頃に一族12名が集まったとき、玄関から4階までの45段の駆け上がり競走をしたことがあったが、屋上への階段は右と左の足を正しく乗せないと上がれない構造だったので、ゴールは4階となった。1等は次男・研司君のお嫁さん美也子さんだった。

設計事務所の執行所長の言葉「設計には仕掛けが要る」のとおり、いくつもの仕掛けを取り入れた誠に楽しい家だった。

仕事の拠点――自宅の書斎兼開発室

週末には大賑わいの我が家

自宅の書斎兼開発室は、その後の私の仕事には欠かせないスペースとなった。

あるとき、ＩＨＩのシールド掘削機に搭載する新機能の不調に、大阪のホテルのリネン管理システムの不具合というトラブルが重なって、会社のメンバーや掘削機の設計責任者が、急きょここに集合して、てんやわんやしたこともあった。

会社員が大勢顔を揃えたということは、その日は休日だったのであろう。まさに仕事中心の生活であり、公私を区別する考えは私には皆無だった。

特に、週末の書斎兼開発室は賑わった。社内・社外を問わず、電子技術者、プログラマー、会計士さんなどが集まってきたし、ティーチングアナライザーを応援、推進していただいた先生方が来られたこともあった。

今では当たり前の週休2日制がその頃に始まり、大企業に勤める人たちは土曜日が急に休日になった。そこで、有り余る技能を生かす道として、私が力を借りた……ような感じだったと思う。

何人もの人たちがうちの家族と一緒に食事をしたり、時を選ばない仮眠の前にビールを飲んだりと、誠に騒々しく楽しく研究開発に取り組んでいた。そこに参加してくれていた人の口から、「ここは、アカデミックな雰囲気なので来るのが楽しみ」との感想を聞き、嬉しかった覚えがある。

当時、ハードやソフトの開発に参加してくれていたのは、ハード系、ソフト系それぞれ4人ぐらい。連休に合宿参加してくれる人も、毎週末に来てくれる人もいた。彼らの食事や飲み物の買い出しで、自転車の前と後ろにいっぱい荷物を積んで危なげに走ったり、大量の炊事に追われたりしていた佳子さんの姿を今でも思い出す。

「愛読書第2弾」は7年後のミニビルの建築資金へ……

この新居を建てたときの借入は、30年ローンで1500万円ぐらいだったと思う。それまでの貯蓄をほぼ全額頭金に充て、所持金が少なくなっていたので、改めて貯金を始めた。

ひたすらお金を貯めた「第1次愛読書」と異なり、このときに積み立てを始めた「第2次愛読書」は、将来的にローンの返済を楽にすることを主な目的とした。当時は預金利息が非常に高かったことも、その理由。

例えば、我が家のローン返済額は半年分が27万円ほどだったと思うが、当初、定期預金に16万円ぐらい積んでおけば、30年近く先には、それが半年分の返済額に相当する27万円前後にまで増えている、といった目論みをすることができた。今では想像もつかない金利、そして複利計算の賜物である。

そして、第2次愛読書のスタートから約7年がたった頃には、将来の返済を大いに楽にする程度の貯蓄ができていた。

ただ、そのタイミングがちょうど後述する「厄年三段跳び」のミニビル建築の時期と重なったため、第2次愛読書はその建築費用に充てることにした。そして、自宅のローンのほうは結局、最後まで高い金利で払い続けることとなった。

Going My Way（ゴーイング・マイ・ウェイ）——親子の制御曲線

長男の座布団事件と家訓

中学校を卒業するときにクラスで寄せ書きをした。

その寄せ書きに、私は「Going My Way」と書いた。どうした気持ちでそう書いたかの記憶はない。ただ、なんとなくその後もその言葉が頭に残っていた。

長男の拓央君が、私の母校でもある小学校に転校して間もない頃のこと。ある朝、登校する彼に佳子さんが座布団を渡していた。何か教室を騒がせたので、黒板の下に座って授業を受けるように先生から言われているとのことだった。

私は驚愕し、そうした事態に、学校へ座布団を持たせてやる母親にも驚いた。そしてその日、この事態に自分はどう対処すべきかを考えた。

私の問題解決の基本は「再発防止」。次の日の朝、家族が起き出してくる前に、新築したばかりの家の真新しい食堂の壁に、マジックで大きな字で落書きをした。「自分の道を往きます。人の道を助けることがあっても邪魔をしません」と。

朝起きて来た家族はもちろん驚いたが、私の思いは伝わったように感じた。その日から、拓央君は毎朝この言葉を玄関で声を出して唱えてから学校へ出かけて行った。

この事件があってから、中学卒業以来気になっていた「Going My Way」が、いよいよ私の心に定着して、家訓となった。

私の行動指針はなんにしろ常に「Going My Way」だが、あのときは、他人に迷惑を掛けてはいけない！といたく思い詰めてしまい、「これぞ家訓」として残そうと意図したように思う。

最近、改めて佳子さんから聞いた事実は、私の思い込みとはだいぶ異なるものであった。当時の担任の先生は、質問が終わる前に拓央君が手を挙げたことが気に入らなかったらしい。そういう先生に叱られてしまった子どもに座布団を渡して「今日も元気に」とエールを送っていたとのことだった。

食堂の壁に書かれた父親の落書きを見ていた拓央君の気持ちを思うと、自分の聞く耳を持たない姿勢や、思い込みで強要したことを、大いに反省しなければならない。

「Going My Way」

この言葉は長年、私自身の行動指針としては有効であったと信じている。同時に、40年以上前のことではあるが、何事も経緯や背景などにも慎重な思考をしなければならないと思うところである。

海洋少年団での活動

息子二人は、海洋少年団に所属していた。私の趣味がヨットだったので、佳子さんが海上保安庁に電話をして地元の海洋少年団を探してきて入団させたもの。

海洋少年団はボーイスカウトの海洋版のような組織で、参加する少年少女に海に親しむ機会を与えながら、その健全育成を図っている。団員は小学生から高校生ぐらいまでで、カッター（大型の手漕ぎボート）訓練のほか、体験航海やキャンプ、ボランティア活動などを通じて海の知識やマナーを身につけていく。

少年団では、兄弟ともに活躍していたようだ。

特に、入団時には幼稚園児だった研司君。初めての合宿では寂しがり、団長さんが一緒に寝てくれたこともあったが、徐々に持ち前の元気を発揮するようになり、日本各地やソウルなど海外への遠征に参加して、スポーツ大会の選手なども務めた。

人員が少ない団だったので、二人は水泳やカッター、手旗や陸上など複数の競技に掛け持ち参加していた。また、団長さんから、研司君は突然団を代表してスピーチをすることになっても、いつも上手く話してくれると言われ、親として鼻が高かった。

志向が対照的だった二人の息子

兄弟二人は3歳違い。私たちは早くから、彼らが高2と中2になったら海外への短期留学に出そうと考えていて、実行した。

ラグビー一直線だった拓央君は、海洋少年団から選抜された帆船でのハワイ航行も、ラグビー部の合宿を優先して断ったことがある。この短期留学も、ラグビー部の合宿を理由に3週間ほどに短縮して渋々出かけて行ったので、少し心配をした。

だが、1カ月間の留学にフル参加した当時中学2年の弟ともども、このときの経験を、後に存分に生かしてくれていると思う。

思えば、二人の息子の勉学以外での志向は対照的だった。

昭和56年（1981年） 海洋少年団の制服姿。研司君小学校入学、拓央君4年生

長男がラグビー「一直線」で、高校も大学もラグビーで選んだのに対して、次男は言ってみれば「多直線」。ラグビー、スケボー、ギターなどなど、それぞれを器用にこなしていた。中学時代には聖地・花園ラグビー場で試合をする機会に恵まれ、同じ中学のラグビー部でキャプテンを務め、すでに卒業していた兄を悔しがらせた。

どこかで子は親を抜く、「それはいつか?」が問題

教育機器の開発をしていた頃、大学の先生から、こんな話を聞いた。

教育におけるコンピュータの活用は、コンピュータが教育や学習をアシストするCAI(Computer Aided Instruction)と、コンピュータが教師の活動をマネジメントするCMI(Computer Managed Instruction)の二つに分類される。そして、その関係は「制御曲線(次ページの図1参照)」になる。

私は、その話を子どもと親の制御曲線として捉え直し、それ以来、自分の頭に定着させた。

グラフの横軸の左端を子どもが生まれたポイント、右端を親が没するときとし、縦軸でお互いの制御力を示す。

子どもがオギャーと生まれた時点、グラフの左端での制御力は、親が100%、子どもは0%。親が死ぬ間際、グラフの右端では子どもが100%、親は0%。その間、年とと

図1

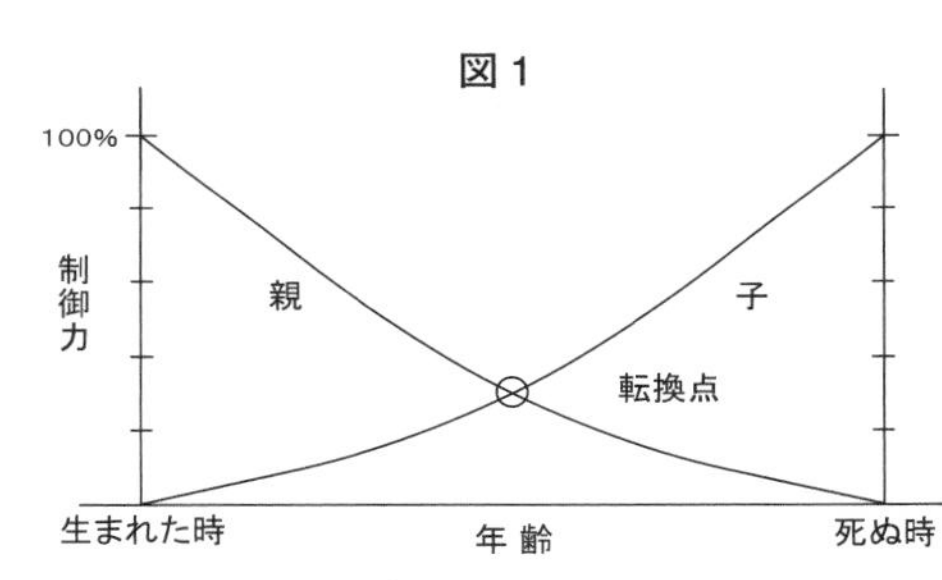

昭和62年（1987年） 長男拓央君は16歳で親を超えた

もに親の制御力は低下し、子どもの制御力は上昇していく。

世の中には、いつまで経ってもすごい制御力を発揮する親が多い。知り合いのレストランの親父は、自分が80歳近くになっても、一緒に働く息子夫婦の力を認めず、死ぬまで息子の不出来を嘆いていた。

だがその店では、どう見ても息子夫婦、特に奥さんが頑張っていると私には見えていた。中小零細企業の創業社長にも、こうしたケースが実に多く見られる。

私の場合、子どもとの制御力転換点のことが常に頭にあった。「親子の制御曲線」はいつか交差する。そのときは、バランスの転換をコントロールし、子どもの自立を後押しすべきと思っていた。

父親の制御曲線を超えた長男

拓央君が高校生の時、あることで彼を注意した。息子はどうにも納得できなかったようで、家を飛び出していった。

出ていく息子にお金とコートを渡すよう、佳子さんに頼んで私は休んだが、佳子さんは一晩中、玄関と階段の電気を消さず、鍵も掛けずにいたと後から聞いた。その晩は、隣に住む両親にも同じように頼んでいたそうだ。

翌朝、帰ってきた息子と話し合った。確かに息子の言い分もあった。

「分かった。今後は自分の責任で……」と申し渡した。オギャーと生まれたときには100％親の意向のままだった息子が、徐々に成長して力を付け、16歳にして親の制御曲線を越えた瞬間であった。

そのときから、それまで呼び捨てにしていた名前も「君」付けに改めた。誠に見事な制御力転換点にできたと自負している。

後に、その晩、息子は祖父の車の中で一夜を明かしていたことを佳子さんから聞いた。

主婦業からの卒業を……

経理でもスチュワーデスでも、なんでもいいから学校へ

次男の研司君が小学校2年生の頃だったか、専業主婦として子育てに専念してきても

らった佳子さんに、「3月までに気軽な習い事を全部やめて、経理でもスチュワーデスでも、なんでもいいからちゃんとした学校に行くように」と宣言した。

今なら一方的な旦那の命令とも言われそうだが、その頃には家長がそうしたことを言っても普通だったと思う。また、私は佳子さんを人生のパートナーと考えており、「将来独立したとき、手形が落ちなくて銀行に走らなければならないようなこともあるだろうから」と、結婚前に自動車の運転免許を取ってもらったりもしていた。

子どもたちが小学生と幼稚園児だった頃から、佳子さんは育児にも慣れ、ママ友とアートフラワーや体操教室などに通うようになっていた。私が「学校に」と言い出したのはその3、4年後である。

ママ友たちとのお付き合いや情報交換、小学校の役員などを通じて、母親ならではの経験や知識が身につくことは大変いいことだと思う。

だが、その頃には、その経験を生かして、そろそろ次のステップに進んでもらいたいと、期待する気持ちが大きくなっていた。

さすがにスチュワーデスの勉強はなかったが、佳子さんは、東京に本部があるベターホーム協会で、筆記試験と2回の面接を受け、「リーダー会員研修生」となった。ベターホーム協会は、食分野などの消費者教育のための一般財団法人。

ここでは佳子さんは、多くの料理実習に加えて、食の安全や政治、国際情報などのさまざまな講義を受けたり、講習会の助手を務めたりした。試験もあった。

料理の宿題も多く、深夜まで調理をしていることもしばしば。やっと出来上がったパンやケーキを冷凍庫に入れておいたら、アイスクリームを取り出そうとした息子たちに傷付けられて嘆いていたこともあった。佳子さんの回想によると、当時の家庭用で一番大きかった冷凍庫を、私が早速買ってくれたとのこと。

そんなわけで、佳子さんは目の回るような忙しさとなった。だが、本人もそれを楽しめていたようだ。あるとき、名古屋のホテルで協会の全体会があった。名古屋を代表してのスピーチに抜擢された佳子さんは、「多忙から充実へ」というタイトルで話を披露。家族の前で練習していた成果もあって、満場の喝采を浴び、東京から来ていた理事長さんにも大いに喜ばれたようだ。

退会するときには、幹部がぜひ残ってほしいと私を説得に来るほど残念がられた。ベターホーム協会への参加は、私が望んだ何倍かの成果があったと言える。

独立を前に、佳子さんの実力を感じたところ。

「お父さんのおかげ」「お母さんを応援しよう」

そんな佳子さんに何より感謝したいのは、家で私を立ててくれたことだろう。

「今日も帰りが遅いね、お父さん何をやってるんだろう?」

「今日も帰りが遅いね、みんなのために頑張ってくれているよね！」

この違い。

母親が家で「私たちのために頑張ってくれている」と言っていれば、父親としては、「家でみんなが応援してくれているんだから、頑張らなければ」と思う。

この関係が美しい。

最近は、妻がリーダー的な役目を果たしている家庭も少なくないと思うが、いずれにしてもパートナー同士で認め合い、評価し合うことが大事だと思う。

子どもに対して、母親は「お父さんのおかげ」と口にし、父親は「お母さんを応援しよう」と言う。普段からそういうことを心がけている家庭でなら、子どもも素直に親に感謝し、尊敬もしてくれるのではないだろうか。

佳子さんは子どもたちが成人するまで、父親に対するネガティブ発言を口にすることは一切なかったと思う。

父親は、安心して仕事に向かって一直線。子どもに向かって働きかけることがなくても、そうした家族の声援を受けた父の後ろ姿を子どもたちは見ていたと思う。

一番楽しかったのは子育て

無意味に叱らない「肝っ玉母さん」

教育関係の仕事をしていて、先生方とのお付き合いが多くあった。そうした経験から感じたことだと思うが、先生方も人間であり、人間には得意不得意がある。

こう言うと失礼かもしれないが、中には当然、道を誤って先生になってしまう方もあり、子どもや親と波長が合わずに苦労される。

そういうことが多々あるわけなので、私の持論は「小学校で一人いい先生に出会えばラッキー、二人出会えば超ラッキー」であった。

子どもたちの小学校時代、クラス委員だった研司君が自習の時間に騒いだ子どもを廊下に立たせたとか、公園で集団の喧嘩ごっこをして遊んでいたので家で注意をしてほしいなどと、先生から家に電話が来ることがあった。

応対した佳子さんは、もちろん先生にはお詫びしていたが、内心では、むしろ「元気でいいこと」と考えたり、息子の成長を喜んだりするたくましい「肝っ玉母さん」。無意味に子どもを叱ることはなかった。

長男の育児経験が次男の時に生きた

一方で私は、教育には口を出さない方針だった。だが、すでに述べたとおり、口をはさむときには命令口調が多かったらしい。

自転車に乗るときはヘルメット着用！ これを息子たちは嫌がったが、近所でヘルメット着用が広がった。

また、テレビ鑑賞は1日30分、週3時間まで。見るときは番組の主役の名前、あらすじ、面白かったところなどの感想文を書くこと、などとしていた。そのため、息子たちはすっかりテレビから遠ざかることになり、本を読む時間が増えて読書家となった。

父親がたまに思い付きで出す方針が、子どもたちによく守られたのは、佳子さんが時にアレンジも加えながら、それを守るようにしてくれたためであろう。今さらながら大変なことだったと思い、最大級の感謝を惜しまぬところだ。

とはいえ、私が育児、教育に極力口を出さなかったのは、決して無関心からではない。父親には、子どもが大きくなるまでに、2回、本当に叱らねばならないタイミングがあると考えていた。

そのときは本気で叱ると心に決めていたので、いざ叱る場面となったときには、「今がその時か」との思いがあった。拓央君に対して、小学校時代はゲンコツで、高校では自宅謹慎で、その思いを果たした。

一方で、真剣に子どもを叱ったのは人生で、この2回だけだったから、次男の研司君を叱ったことがなかったことになる。

親は最初に生まれた子どもに最も力を注ぐものだと思う。ご多分に漏れず、私たち夫婦もそうだった。拓央君からたくさん育児の課題をもらったが、そうした課題解決の経験と学習効果が研司君に対しては生きたと思う。

次男とテレビ番組『中学生日記』

研司君が中学1年生の時。朝、いつものように食卓に着いて新聞を広げ、テレビ番組欄のページに、NHKドラマ『中学生日記』の出演者募集広告を見つけた。募集条件は、40分以内でNHK名古屋放送局へ行けることなどだった。

「こんなのあるよ」と研司君と佳子さんに声をかけると、「エッ、応募していいの?」と驚かれた。私が食卓に着く前に、母子の間で「応募したいね、でもお父さんが許さないだろうね」といった会話があったらしい。

締め切り間際だったので、その日のうちに佳子さんが走り回って書類を整え、応募手続きを済ませた。オーディションでは、劇団に所属している子が訓練された大きな声を発したり、上手にセリフを言っていたりしていて、素人の息子は面食らったことであろう。だが、幸いにして合格した。

『中学生日記』の番組の作り方は、まず生徒十数人が集まり、ディレクターを中心にテーマについて話し合う。そのときの子どもの発表や意見を聞いて、脚本を練り、出演者を決める。

意見を発したりまとめたりするのは研司君の得意分野であり、そういった点が制作サイドのニーズにマッチしたのであろう、3年間で主役級の回となった2本をはじめ、お知り合いの校長先生が録画してくださった出演ビデオが7本になっていた。

深夜に連絡があって撮り直しのためにハイヤーが迎えに来たり、多額ではないが出演料が振り込まれたり、いろいろ初めての経験を積んで、楽しい思い出になったであろう。

ファンレターが来たらNHKに留め置き、番組卒業時にまとめて手渡されると聞いていた。私も内心楽しみにしていたが、結局1通もなかったと聞いて、密かに残念に思ったことも覚えている。

育児は思い出がいっぱい。息子二人が、思いっ切り我々夫婦を楽しませてくれた。

教育の成果は「死ぬまで、いや死んでも分からない」

人間、生まれて初めて授かった自分の子に、どれほど正しい教育ができるものだろうか。たいがいは先入観と思い込み、あるいは独断で、か弱い子どもをミスリードしてしまうものだと思う。

まして今どきは、自分の親の経験を聞くこともなく、耳学問やマスコミ、インターネットなどのごく限られた情報で、こうすべきと主張し、しつけや教育をしようとする。

しかし、人間は、動物とは違う。動物の親は、自然の中で子どもが生存していくためのしつけをすればよい。だが、人間の子どもが育ち、生きていく環境は、変わらぬ自然界ではなく、変化する社会なのである。

親の限られた知識や経験で、変化する多様な社会で生きていくための教育を十分に考え、指針を示すことなどできるはずがない。

そもそも教育の成果ってなんだろう？

いい学校に入ること？　いい会社に入ること？　いい結婚？

仕事で成果を上げること？　老後が安心して過ごせること？　そもそも「いい」って何？

こう考えると、教育の成果は、その教育を受けた本人が死ぬまで分からない、いや、死んでも本当は分からないものではないかと思う。

親は自分の価値観を押し付けるのではなく、この社会で生きていくための常識やマナー、そして、子どもにも役立ちそうな親自身の経験を伝えればよい。

そのほかに、特に父親の役割は、子どもに妙にかまったり、口うるさく些細なことを指摘したりすることではなく、もっと俯瞰的に見守ることではないか。そして、キラリと光る才能の一端を感じたときに、さりげなくそれを口に出す程度がいいのではないかと思う。

第3章

【独立】

夢は大きく、「新しい文化の創造」

厄年をはさんで「独立への三段跳び」

古来、数え42歳は男の大厄、厄年の中でも特に大きな人生の転機とされている。昭和19年（1944年）生まれの私の場合は、満年齢でいくと昭和61年（1986年）が42歳、数え年では昭和60年（1985年）が大厄の42歳に当たっていた。実際、昭和61年までの3年で、やりきって退職、起業に踏み切ることとなった。

この間の出来事を三段跳びの「ホップ、ステップ、ジャンプ」にたとえるなら、展示会視察のために渡米した経験が、さしずめ「ホップ」に当たるのではないかと思う。

ホップ！　アメリカの大展示会へ自費出張

39歳だった昭和59年（1984年）のこと、当時、アメリカ製データベースソフトの日本での普及を目指していたソフエルの伊賀社長と名古屋で会食した。そのとき、伊賀さんがアメリカへ行ってコムデックス（COMDEX）を視察してくる予定だと聞いた。

コムデックスとは、当時、世界一の規模を誇ったコンピュータ関連の展示会である。私もぜひ見てみたいと思い、伊賀さんにお願いして同行させてもらうことにした。

出発が数日後に迫っていたので、早速翌日、佳子さんと一緒に神戸へ向かい、アメリカ領事館でビザを取得した。パスポートは、シールド掘削機の仕事で台湾へ行っていたのですでに持っていた。

出発前、私の自腹渡米に対して、社長から餞別として10万円を頂戴した。

ラスベガスへ向かう途中で

伊賀さんと到着したロサンゼルス。空港から都心に向かう途中、各所で目についたのは油田ヤグラだった。大きな鎌のようなアームが油井に向かってゆっくりお辞儀を繰り返しながら石油を汲み出していた。

先の戦争で、油田を持たない我が国は石油を確保するため南洋に進出したが、自国内の、しかもこんな身近なところに油田がある大国と戦争をするのはあまりに無謀！と思わず考えてしまった。

ロサンゼルスで、当時、ＰＣの販売業を営んでいた日系アメリカ人のイノウエさんと合流して、車で展示会が開催されているネバダ州のラスベガスへ向かう。

ラスベガスへの道のりは４５０キロほど。広大な原野に、地平線まで一直線に道路が伸び、その先が見えない。すれ違う車もめったにない。所々にある道路標識には、銃で撃ち抜いた穴が複数開いていた。

40年近く前のことであるから、今の人には想像しにくいであろう人種差別も実感した。途中でレストランに立ち寄った際、黄色人種の我々３人に向かって、地元の白人住民が浴びせてきた特有の視線……。展示会場でも、懸命に事業の話をしようとする黒人ビジネスマンを露骨に無視している白人業者の姿を目の当たりにした。

展示会後のパーティーは商談の場

よもやま話はさておき、コムデックスはさすがに大規模なイベントであった。

複数のコンベンションセンターに無数のブースがあり、とてもすべて回りきれるものではない。また、出展している各社は展示とは別に夜、個別にホテルでパーティーを開き、主要な顧客を招待していた。イノウエさんに付いて歩き、いくつかのパーティー会場を回ったが、大事なクライアントとして招待された人たちでどこも盛況である。

一般に、日本の展示会は、宣伝として多くの人に展示を見てもらうことを目的としている。もちろんアメリカの展示会にもその目的はあるが、商談のまとめや取引契約の詰めのセレモニーとしての意味合いがより強いように感じられた。

そしてこの渡米では、展示会の外でも多くの貴重な経験をすることができた。

ラスベガスのホテルでは、舞台に本物の象が出てきたり、大量の水が噴き出したりするショーの演出にも度肝を抜かれた。

過去に行った台湾と違って、本場の英語は分かりにくかったが、会話のコツも発見した。

ホテルの部屋からフロントへ電話をかけるとき、まずは日本語で話しかける。相手から「すみません、英語でお願いします」と言われたら、改めてたどたどしい英語で話す。そうすると相手は申し訳なさそうに、やさしくゆっくりした英語で話してくれた。

ロサンゼルスに戻ってからも、伊賀さんと何日間かモーテルに宿泊し、近場のショップで食料を調達するなど異国ならではの刺激を満喫できた。

持ち帰った新技術——アイコンとタッチパネル

日本に帰ると、社長から東芝商事でコムデックスの報告をするように依頼された。東芝商事の会議室で、40人ぐらいの人を前に話をし、二つの新技術を紹介した。

その一つは、アップル社の展示したパソコンに採用されていた「アイコン」。今ではすっかり普及した技術だが、コムデックスで初めて目にしたときは、実に印象的であった。

二つ目は、キーボードを使わず、モニター画面に指で触れて操作する「タッチパネル」。これも今や、アイコンとともにすっかり定着した技術だが、当時はスマホやタブレットでここまで普及するとはまったく予想できなかった。展示を見た際には、飛行機の操縦席の操作がいずれこうなると耳にし、面白いと思ったものである。

ちなみに、私はその頃、ホテルの管理システムの開発に取り組んでいたので、早速、国内のタッチパネルメーカーから画面の前面に取り付けるフィルムを入手し、ワンチップマイコンで制御する製品の開発に取り組んだ。

あのとき報告を聞いていただいた方々に、今さら感想を伺うよしもないが、アメリカの巨大な展示会で先進的な技術を見てこられたことは、私にとって大きな収穫になったと思う。

ステップ!となったミニビル建築

年中無休!　異業種連携で研究開発

世の中全体に、いわゆるモーレツ社員が多かった時代だが、我ながら仕事への取り組みは、勤め人の域を超えていたと思う。

前述したように、北海道工業大学のシステムを開発した頃には、昼は会社で設計・製造、夜は団地で家族の住まいを占領してソフト開発をしていた。

伝馬町に自宅を建てた後も、新型マイコンZ80を使ったＳＴＤボード（コンピュータを搭載した、ほぼ12センチ角のＣＰＵメインボードと同じサイズで、目的に応じた複数のボードを縦に並べて構成するコンピュータ装置の仕様）で構成するマイコンシステムを、冷蔵庫自動管理システムのために開発しようとしていた。そこで、書斎にサーバーラック（網で囲まれ、機器が何台も収まる大型冷蔵庫のような箱）を入れてマイコンボードを作り、プロジェクトに合わせたいくつかのインターフェースボード（コンピュータと、ほかの機器や装置の間をつないで、交信や制御を可能にするボード）の開発を進めていた。土、日や祝日で連休になると、何人かのエンジニアや会計士さんら、やる気のある専門家が我が家の書斎に集まってきてくれた。

この異業種連携チームは、ほかにも、高校受験に向けた模擬試験のデータ処理の検討を頼まれたり、一体型のパソコンに会計処理ソフトを載せた、「ヘルパー」という商品名の傑作を開発したりしていた。

このヘルパーは複式会計ができる優れものであったが、会社の工場では扱える技量がなく、これまでの「経験、知識、コネ」を生かせるものではなかったため、会社に提案することもなく、事業展開には至らなかった。

書斎兼開発室が手狭になり、実家をミニビルに建て直す

外階段付きの書斎兼開発室は12畳ほどあったが、異業種連携での研究・開発活動で多くの人が集まり、そろそろ手狭になっていた。

3階の子ども部屋の吹抜け天井に床を張って「開発作業室」としたので、その4階の部屋と2階の書斎との間を行き来する私の仕事仲間と、家族がすれ違うようになった。

もはや自宅では十分に対処できないと感じていた私は、「将来、会社を興した際に融資を受ける担保にもなる」と考え、仕事に使うミニビルを建てようと思い立った。

そこで一計を案じ、我が家の隣にあった親の家を建て直すことに決めた。いや、両親にお願いすることにした。

その話を持ち出したときには、息子の勢いに両親もたじろいだのではないかと思うが、親父が反対することはなかった。昔から「子は親を抜いていくもの」と言っていた親父は、すでに息子が自分の制御曲線を超えていると認識していたのかもしれない。

かくしてミニビルの建築へと向かうことになったが、今にして思えば、これが私の独立・起業への「ステップ」となった。

そういえば、あのとき5年ほど残っていた両親の家のローンの支払いはどうしたのだったか？　思い込んだら突っ走ってしまう自己中の私ゆえ、聞くこともしなかったことを今、反省している。

ミニビルの設計は、自宅を建てる際にお世話になった執行さんに再びお願いした。

新しく建てるこのビルの2階は両親の居宅とした。ただ、両親はそれまで2階建ての家に住んでいたので、2Kの新居に移る際「大断捨離」をしてもらったものと思う。思えばとんでもないお願いをしたもので、承諾してくれた両親に対して、ローンのことも含めて感謝に堪えない。

佳子さんの配慮で理想的な三世代家族に

新築に当たって、両親との住まい方を考えた。その頃、「スープの冷めない距離」という言葉をよく聞くようになっており、両親と私の家族が互いに居心地よく親しめる間合いを意識した。

両親の居室にもシャワー機能を付けたが、家族同士の「お風呂どうぞ」といった声掛けを想像し、私たちの風呂を共用とした。台所は別にしたが、自宅の台所にドアを付け、ひとまたぎで両親側の台所へ行けるように通路を設けた。

狙いどおり、このドアから子どもたちは気軽に祖父母の家に出入りしたが、「お邪魔します」という他人行儀な挨拶には違和感があると、お袋に言われたこともあった。

時々の週末や、誕生日、年越しなどに両親を呼んで食事をした。この両親との距離感は絶妙で、三世代家族の仲の良さが近所でも評判になっていると耳にしたことがあった。

両親との同居の成功はお互いの距離感をうまく演出した建物の構造も理由だったと思い、工夫した甲斐があった。だが、三世代同居がうまくいったのは、何より佳子さんの日

昭和60年（1985年）　事業には担保が要る！
と思って建てたミニビル

頃の配慮のおかげであったと、今でもありがたく思っている。

自宅を提供してくれた両親に対してこうした生活の配慮をした一方、仕事に使うというミニビル本来の目的から、家族をつなぐ2階の通路とは別に、作業場としていた4階にも通路を設け、3階にも将来接続できるように開口部を付けておいた。

この通路だが、新築のミニビルは鉄筋、その前に建てた自宅は鉄骨なので、大きな地震のときに揺れの差によって破壊される可能性があると耳にした。そこで執行さんにその揺れ幅の差を計算してもらったところ、6センチずれる可能性があるとのことだったので、4階の接続通路にはその対策をしてもらった。

ジャンプ！ やるだけやって独立・起業

勤続20年、満を持して独立へ

ミニビルを建てたとき、私にはまだ、すぐに独立しようという考えもなければ、具体的な計画もなかった。

当時、会社の先輩・上司で恩人でもあった中根工場長は、岡崎から車通勤をされていた。その途中に私の自宅があったため、通勤の際、よく車に同乗させてもらっていた。当然、建築中のミニビルの話にもなり、時には現場を見ていただき、地下の土留め不良などが起こらないよう相談もしていた。

いよいよ完成した際には、鬼頭社長をお誘いしてミニビルをご覧いただいた。その際、社長の娘さんが学校の先生になると聞いていたので、「教育関係などの別事業を、このビルで始めませんか？」とお話をした覚えがある。

だが、ミニビルが完成した年の末、私はそれまで20年勤めた日進電気を辞めて、独立することとなる。42歳の誕生日を迎えた10日後、昭和61年（1986年）12月のことである。

まさに「満を持して」との言い方がしっくりくる42歳、見事に厄年をはさんでの三段跳びであった。

退職のトリガーになった研修

そこで三段跳びのジャンプ、やるだけやって……の話になる。

勤続20年を迎える頃、事業部長となっていた。会社で上は社長だけ。東芝中部支社が名古屋駅前の新ビルに移転すると聞いていたので、「この機に当社も懐に飛び込んで事業拡大してはどうか」などと進言した。

東芝の懐に飛び込めば、当時、自社の営業の主力であった空調や冷凍機での関係も密になって業績に貢献するはずだし、共同事業も展開できる可能性があると思ったからだ。

ちょうどその頃、社内研修会があった。

全社員を対象とした、リクルートの宿泊研修。市内のホテルに2泊する、会社始まって以来の大研修会だった。社内には「なんでそんなことやるの……」といった空気もあったが、私は興味を持って参加した。

その研修は、部署単位で各自がスピーチし、そのビデオを見ながら参加者全員でディスカッションをするという内容であった。「本音の討論」と言えば聞こえはいいが、実態は、話者に自己批判や反省を表明させるための批判大会のようである。

私も批判にさらされた。なぜ事業部長たる者がメンバーの前で反省をしなければならないのかと、反感を覚えながらも、その意味を考えた。

そして、要は、「他者のせいにせず自責で物事に当たれ」との心構えを身につける研修らしいと思い当たった。そう察すると、「自責」が自分の十八番と思っていた私は、セミナーへの興味も参加意欲もすっかり喪失し、強い違和感を覚えて研修を終えた。

任され仕事をやり尽くしたと納得

よく周りから「天狗になっている」と言われるような人がいる。あまり考えたくないことだが、当時の私は周囲にとってそういう存在だったのだろうか？

それまで、コンピュータ機器の導入やシステムの開発などを行う際は、私が自ら根回しをし、責任を持って提議、稟議、実行し、成果を上げなければならないと思っていた。会社の上層部にはこの新しい分野に関する知識・経験が乏しく、理解・判断が難しい面もあると感じていたためだ。

また、自分の育て上げたＴＥＳＳ事業部が、まだ短期間ではあったが、ようやく会社の稼ぎ頭となり、将来の鍵を握っているという自負もあった。もちろんその一方では、自分たちが利益を上げるようになるまで、長期間、他部門のお世話になってきたことも忘れてはいけないと思っていた。

そうした自分の思いはさまざまあったが、「これ以上ここで仕事を続けることは、会社にとっても私にとっても幸せなことではない」と考えるに至った。

勤続20年。我がＴＥＳＳ事業部は開発設計と営業で20人になっていた。もちろん、ロットに応じて現場で組み立てに従事してくれた人なども含め、それよりずっと多くの人の力を借りてきていた。

東芝の懐へ飛び込んでの業務拡大や、別事業としてのソフト開発も提言してみたが、そうした道はないこともすでに悟っていた。

42歳を前に「ホップ」のアメリカ行きで知った新技術タッチパネルを、早速製品に採用したが、これらの設計やソフト開発は金井君と佐藤君が担当してくれ、私が陣頭指揮をする必要はなかった。

この会社でやるべきことはやり尽くした。そう納得して辞職を決意した。

教育ソフトの開発を手掛ける

パソコン普及の中「新しい教育の創造」第二幕

意を決した私がまず創った会社が㈱教育ソフト。

会社を辞める前から、学校へのパソコンの普及が始まっていた。教室で利用するソフトのニーズがあり、大学や学校、市町村の教育委員会などで独自のソフト開発の要望が高まっていたのだ。

そうしたとき、一緒に仕事をしたいと言ってくれていたのが三富君。日進電気に教育ソフトの開発は提案していたが、進展がないことも確認していた。そこで、㈱教育ソフトを立ち上げ、三富君に来てもらった。当時彼が勤めていた大企業からの転職だった。

新分野だったこともあり、入札参加資格は比較的容易に取得でき、名古屋やその周辺、近畿地方などの教育委員会のソフト開発を請け負った。

まずは教科書会社の企画で天気図学習ソフトを開発。当時バイトで来ていた二人の中村君（裕樹君と健児君）が担当してくれたが、その実力を発揮して、見事、教育ソフト大賞（学情研主催）を受賞した。

㈱教育ソフト設立の趣旨を理解してくれた東芝商事さんが、パソコンを40台ほど販売推進事業として格安で提供してくれたので、名古屋市教育センターでの展示会や近くの宝ビルで教師向けに講習会を実施した。当時中学生だった拓央君と小学生だった研司君がその設営などを手伝ってくれたこともあった。

先生方の英知を結集した「計算アップ」

㈱教育ソフトの力作が、小学校算数の計算学習ソフトである。

名古屋市数学研究会の先生方が、小学校の計算学習で考えられるすべてのツマズキとその対処指導策を洗い出し、分担してソフト原稿を作成してくださった。大勢の先生に、「プログラムやPCでの機能の制限などは一切考えずに、課題解決のベストの原稿を書いてください」とお願いし、夜な夜な会社に集まって書き上げていただいた。

Ｂ４用紙にまとめられた算数学習ソフトの仕様書は、完成後に全部積み上げてみると大人の背丈ほどもある大作だった。計算課題解決の英知を集結したこの原稿の内容を忠実に再現し、小学校算数全領域53本のソフトを完成。「計算アップ」と名付けた。

ＩＢＭ社が、パソコンの教育分野への普及プロモーション事業として、この算数ソフトの開発を支援してくれた。㈱教育ソフトに１０００万円の助成金を提供し、実践支援として名古屋市立牧野小学校に1教室分のパソコンを寄贈してくれたので、スムーズに「計算アップ」の活用実績を積むことができた。

パッケージも作って商品化すると、まず静岡県浜北市の全市立小学校のパソコン教室用教材として採用された（浜北市は現在の浜松市浜北区）。管理用を含めて1セット60本のソフトが、市内17校にそれぞれ40台のパソコン用教材として配備されたので、合計本数は約４万本。相当の売上となった。

㈱教育ソフトは「計算アップ」のほかにも、多くの教育委員会や教科書会社から要請を受け、合計で１２０種類の教育ソフトを開発した。

しかし、これらのソフト開発事業は、PC機器の互換性やバージョンアップ、開発競争の激化や入札などの課題があり、間もなく終結させた。

多くの先生方や会社にお世話になったが、私なりの事業推進の原動力は、「多くの先生にパソコンに触れていただきたい」との思いにあった。一部の先生ではあったが、教育ソフトの効果や限界を一緒に勉強し、知っていただいたことで、少しは教育界に貢献できたのではないかと思っている。

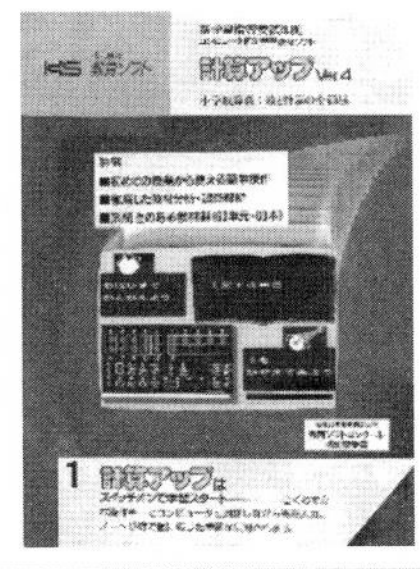

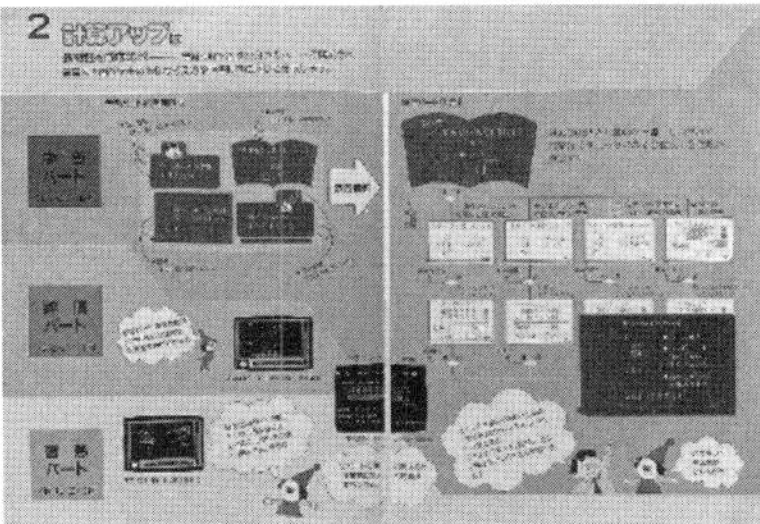

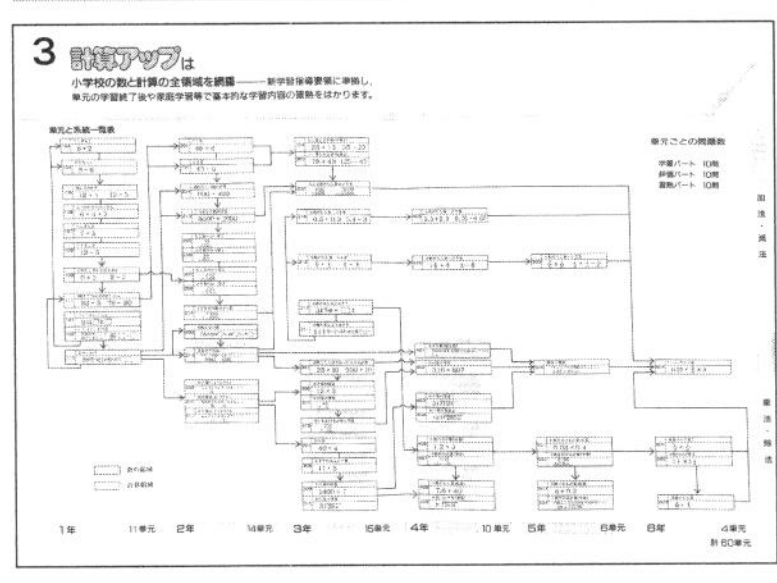

昭和62年（1987年） 現役の先生方のノウハウを網羅したソフト「計算アップ」

人材育成も企業の社会貢献

教育ソフトの開発は、もともと経験豊かで優秀な裕樹君、健児君の力に負うところが大きかったが、その後に立ち上げるネオレックスでは、当初から経験よりも「地頭(じあたま)の良さ」を優先し、「ソフト開発の経験は不要です。一から指導します」と言って優秀な学生アルバイトを募集していた。

「計算アップ」を発売して10年が過ぎた頃、名古屋大学の学生がバイトに応募してくれた。履歴書で浜北が実家と知って、まさかと思いながら尋ねてみたところ、まさに「計算アップ」のソフトで勉強したと聞いて、感激した。

その後、彼はメキメキとプログラム開発の力を付けて活躍をしてくれた。本人も卒業後はネオレックスに入社する意向を固めてくれていたが、所属していた研究室の教授から大学院への進学を勧められた。

ネオレックスで身につけたＩＴスキルを、大学の研究室でも大いに発揮していたのであろう。結局入社には至らなかったのは誠に残念であったが、その後、学界でも活躍していると聞いて喜ばしく思った。

㈱教育ソフトでもネオレックスでも、バイトでソフト開発を知って関係分野の企業に入る人が多くいたし、独立して社長になった人もいる。こうした人材の開発も会社としての一つの成果であり、社会貢献だと思っている。

㈱教育ソフトには、多くの学生さんに参加してもらった。短期間の研修で力を付ける人も多かったが、こちらから入社を勧めることは一切なかった。無限の可能性がある青年を軽々しく誘うことは避けたいとの思いや、「会社は自分で選ぶもの」との考え方などがベースにあるが、この考え方は今もネオレックスに息づいている。

ハードとソフトが分かる会社に

数学で学習する微積分。微分は変化の大きさ、積分は積み重ねる量の変化である。この微積分、センサーが検知した情報の検出・評価など、システム開発でもよく利用する。コンピュータには、アナログ入力を持つ（受け取れる）ものがある。このアナログ入力の利用により、例えば電圧の変化などを通してセンサーからの情報を受け取れる。プログラムを書けば、この情報を微分や積分の演算で解析し、意味のある情報にできる。ちょっと分かりにくいかもしれないが、コンピュータを用意してプログラムを書けば、システム開発に必要な微積分の演算ができるという話。

一方で、コンピュータではなく、電子回路でも微積分の演算はできる。コンデンサーと抵抗を組み合わせるだけでいい。定数を変化させるとき（感度調整など）も、抵抗をボリュームにして回すだけでよく、難しいプログラムの開発は必要ない。

コンピュータにはさまざまなことができる。処理も非常に速い。電子回路等のハードウェアの知識・経験がなく、ソフトウェアだけしか知らない技術者は、なんでもソフトウェアで実現しようとするし、やればできてしまう。そのために、時にごく簡単なことまでずいぶんとややこしくしてしまう。

こうした事態は、時間の浪費や、複雑さに伴う不具合発生率の上昇といった問題だけでなく、資源の無駄使いにもつながる。

パソコンは普及が進み、業務で使う専用機として利用されるようになったが、これらのパソコンは機能の1％も使用されていないケースがほとんどだろう。高価な機械、使われない機能、熱として発散されるだけの電気の量などを考えると、その無駄が分かる。

さらに言えば、コンピュータ自体も機械、つまりハードでできている。プログラマーから見れば英単語のようなコマンドや、英数字の羅列のようなバイナリデータも、CPUやメモリ上では1または0のビットとして扱われている。コンピュータの性能を真に、フルに生かそうとするとき、ハードの知識が重要となるのだ。

幸いにして私は、アマチュア無線などの趣味から電気回路に親しみ、トランジスタ、IC（集積回路）、マイコン、パソコンといった素子や機器装置に、それらが世の中に出現すると同時に接し、学ぶことができた。

また、㈱教育ソフトから自然にネオレックスに移籍してくれた裕樹君と健児君も、少年時代から親しんだ電子回路作りや機械語によるプログラミング、そしてネオレックスでの経験を通し、ハードとソフト両面での知識・経験を積み上げてきた。

今、彼らはコンピュータの特性、仕組みを念頭に置いたシステム開発で、その力をいかんなく発揮してくれており、ネオレックスの社内基準で、国内トップレベルの技術者を意味する「マスター」との評価を得ている。そしてその後ろには、若い技術者たちが続いてくれている。

高度なコンピュータがすでに身近に普及している現代の若い技術者が、ソフトとともにハードを学ぶことは簡単ではない。だが、今でも私には、「コンピュータを活用するキモはハードにあり」との思いがある。そしてその思いは、ネオレックスで、忘れずに受け継がれている。

新会社設立——その名も「ネオレックス」

「下請け仕事はしたくない」

前述のように教育向けソフト開発事業にさまざまな課題を感じる中、新たな展開に向けて別の会社を創立することにした。そして、社名を考えた。

「独立前の前職に関わる仕事は一切しない。前職の顧客に頼らない」という方針は、最初から決めていた。

下請け仕事はしたくなかった。

営業が不得意なので、技術を売りにしたかった。

顧客に満足されれば、生きていけると思った。

ハードとソフトがともに分かる会社にしようと思った。

社名に込めた3つの理念

いろいろと考えてまとめた思いは、3つ。

まず、〈顧客の真のニーズに応えよう〉

真のニーズに応えるとは、顧客の要請を単純に実現するのではなく、「顧客にとって本当に有効か?」「もっとよい方法はないか?」「未来への道として間違っていないか?」などを考えて提案をすべきだということ。

次に、〈独自技術で行こう〉

これは、出来合いの機能を寄せ集めるだけでなく、世にないものを独創的なアイデアで考え創り出そう。素材を活用することがあっても真似はしない技術開発をしよう、との思い。

そして、〈広く世界に役立つものを創ろう〉

独りよがりな製品ではなく、その機能が認められ、世界に広がるモノづくりをするという志である。

これら3つの理念をそれぞれ英語に当てはめると、NEEDS(ニーズ)、ORIGINALITY(オリジナリティー)、EXPANSIVE(拡張・拡大)となる。そこで、それぞれの頭の2文字をつなげて、NEOREXとした。

ネオレックスの社名ロゴ「サテライトマーク」

我ながら手前味噌な理念から出た社名と感じることもあったが、後にある人から、NEOはギリシャ語で「新しい」、REXはラテン語で「王」という意味、こんな素晴らしい社名はないと言ってもらえた。

社名ロゴも、ある大学のデザイン科の教授に、シンプルで美しいと褒められたことがある。一見して太陽光パネルを広げた人工衛星のように見えるところから「サテライトマーク」とも呼んでいる。

このロゴの良さ、美しいと言われる所以は、横に3列並べて2段積みにした合計6個の正方形の頂点を結ぶことで描けるシンプルさにあると思っているが、このデザインは、昔お世話になった三井堂のデザイナーさんの作品。

これを見ると30年前に考えた理念や目標、行動を思い起こす。

頑張ってくれた設立メンバー

新会社の設立に参加してくれた最初のメンバーは、先行して立ち上げていた㈱教育ソフトの三富君。技術が分かる営業マンといった青年で、ネオレックスでも5年ほど頑張ってくれた。

また、前職の職場から水野君が加わってくれた。彼は私より5歳ぐらい年下で、私が教育機器の開発をしながら東芝の教育装置の販売もしていた頃、東芝商事に勤務していたメーカー側担当者だった。

彼とは、教室に設置する英語教育用LLシステムの販売などで、よく一緒に車で出かけていた。いろいろ話すうちに意気投合して、私が勤めていた日進電気に転職して来た。

その水野君が今度はネオレックスに来てくれたことで、大きな力を得た。コンピュータを特別勉強したわけではないが、持ち前の前向き姿勢、器用さ、男気で、営業、機器設置、コンピュータメンテナンスなどに当たり、難しいシステムの構築にも挑戦してくれた。

大きなシステムのトラブルでは、その原因がハード側にあるのかソフト側にあるのか分からないケースが多々ある。ハードとソフトの担当が違えば、双方が相手側の不具合だと主張しがちでもある。こうしたとき、多年にわたり苦労した経験と、実践に基づいて習得した知識を生かして、時にはプロトコルを解析し、時には極立った説得力でトラブルを収めてきた。

私生活でのパートナーでもある佳子さんは、当然、創業時からの中心メンバーである。ネオレックスの関係諸氏にはおなじみだが、私はその頃から佳子さんのことを「マネージャー」と呼んでいる。仕事のパートナーとして、いつしかそう呼ぶようになり、ネオレックスの社内外で定着している呼び方である。

初仕事――東芝の部長が「本当にできるのか?」と来社

ネオレックスが創業した昭和62年(1987年)、まだ、何を事業にするかの指針も定まらない頃、瀬戸市にあった東芝洗濯機工場の部品自動供給システムを自動化する大規模改修の話が来た。

受注するとき、東芝の本社から部長さんが来られて「本当にできるのか? もしできたらすごいことだ」と言って帰られた。部長さんがそう言ったのも無理はない。受注したのは、当時最新のジャストイン部品供給システムへの改修工事であった。

洗濯機の部品が、その特性に応じて5種類の自動倉庫に収容されている。そこから送り出されてくる部品を、工場の天井に張り巡らされたオーバーヘッドコンベアで運び、各工程にシューターで自動的に投入する。その工程をコンピュータの指令によって一括管理し、20秒に1台のペース(ラインタクト)で洗濯機を製造するシステムだ。

オフコン（オフィスコンピュータ）、自動倉庫と部品供給コンベア機器、シーケンサー（システムの動作手順を制御する機器）に加えて高速通信網、これらを一括して請け負う会社は、当時日本にはなかったと思う。

ネオレックスは自動倉庫もコンベアもオフコンも経験ゼロであったが、統合的な責任を負うために、設備機器のすべてをネオレックス自ら機器メーカーにオーダーすることを受注の条件として主張した。

普通の人が冷静に考えれば、各社数千万円の仕事を、出来立てのネオレックスが発注して引き受けてもらえるのかなど、不安要素が多いはず。だが私たちは、そんな心配をすることもなく突き進んだ。

東芝ブランドの威光

コンベアは三機工業社製で、接続の改造などをネオレックスから発注した。シーケンサーと構内高速通信には、ＡＢデンソー社が供給するブロードバンド方式を採用した。当時、日本デンソーがアメリカのアレンブラッドリー社と合弁で会社を設立し、工場用新型通信方式として国内で普及させようとしていたもの。

各社はスムーズに発注を受けてくれた。顧客が東芝ということで出来立ての会社ネオレックスの心配はしなかったようだ。さすがにコンピュータは東芝製を支給された。ソフト開発は当時新進気鋭で、社長さんと個人的な付き合いもあった東京のソフト開発会社IGSさんに依頼した。

水野君が入社してくれたのは、この案件を受注した後だった。各社の仕様調整や工程管理、現場での立ち会い、障害対応など、すべてを彼が担当し、無事システムを完成させて納入してくれた。このとき、水野君が来てくれていなかったら、どうなっていたのだろうと、今にして思うところ。

その水野君は、既設のコンベアの動作不良でタクトが狂い、非常停止をしてしまったときには、自動倉庫から部品を手で引っ張り出し、担いで現場に運ぶこともあった。問題の原因がソフトかハードかを調べるために、回線に解析用のモニターを接続して膨大な通信データの内容を徹夜で読み解いたり、通信の不具合を解明するためにアメリカの技術者の派遣を要請したりと、東芝工場の設備・システム係の人で、水野君を知らない人はいなくなるほどの大活躍であった。

この初仕事の売上は1億円を超え、支払いを受けた東芝の手形を当時のあさひ銀行(現・りそな銀行)へ持ち込んだとき、「これがあの東芝本体の手形ですか、初めて見ました!」と銀行の担当者に言われたとマネージャー(佳子さん)から聞いた。

ネオレックスが天下の東芝と直取引できたことと、それなりに売上が高額であったことで、マネージャーも少しは誇らしかったかもしれない。私と水野君にとっては、やればできる感を大いに味わった仕事であった。

さまざまな模索

ブロードバンドの映像送受信システム

洗濯機工場の部品供給システムは、複数の自動倉庫とコンベア、各工程の作業場などとリアルタイムに通信する必要があった。

この通信には、前述したようにアレンブラッドリー社のブロードバンド通信方式を使った。1本の同軸ケーブルで無線通信で利用される高周波を使い双方向通信するもので、原理は人工衛星と同じ。ある周波数で発信した（上りの）電波を人工衛星が受信し、周波数を変えて（下りの）電波を送り返す。この受発信を1本の同軸ケーブルで実現する。まだLANがない時代の技術である。

「そうだ、同軸ケーブルは一つの地球空間を実現しているのだ！」であれば同軸ケーブル1本で空中のような高周波通信ができる！　しかも空中ではないので大電力も要らない。

例えば大規模な駅などでは、すごい数のモニターカメラがあり、その数だけ線を敷いているが、これが1本の同軸ケーブルで済んでしまう。これはすごいと思い、早速自社のミニビルで実現を試みた。

画期的なシステムだが付加価値は出ず

その頃、ネオレックスが使っていたミニビルは、狭い土地に積み上げた複数の部屋と、住まいの一部を使った部屋に分かれていた。一体感がないうえ、電話がかかるたびに館内放送で呼び出す煩わしさもあった。同軸ケーブルの偉大さを知った私は、この技術を使って、部屋の様子を相互モニターすることにより、あたかもみんなが一室で仕事をしているような環境を実現できないかと思っていた。

ブロードバンド通信はこれを実現できる技術であったが、1本の同軸ケーブル内で上りと下りをそれぞれ増幅するためのフィルターを組み込むなど、高価な機器が必要だった。

そこで考えたのが、インラインサテライト方式。

学校にも家庭にも、アンテナで受けたテレビ電波を各部屋で見るための同軸ケーブルによる共聴ラインがある。この共聴ラインをもう1系統引いて、この2本を上りと下りに分ければ、面倒な機器を一切使わずに、超安価にブロードバンドを実現できると思い付いた。

早速、既設のテレビを見る共聴ラインと同じものをもう1系統敷いた。アンテナのところで数千円の増幅器で2本の同軸をつなぎ、新設した系統の各ケーブルの端にチャンネル変換器を付けたカメラを接続した。

設置してみると、各部屋から普通のテレビとリモコンでほかの部屋の様子を切り替えて見ることができて超便利！　中には自分の席に小型テレビを持ち込むメンバーも現れた。このシステムは来訪する人々に驚かれ、事業化したいなどの反応もあって特許申請もしたが、あまりにシンプルで単なる工事仕事になり、付加価値が出ないなどの理由で事業となるとは思えなかった。

ただ、ネオレックスではそのシステムを、インターネットを利用したサテライトモニターとして拡張発展させながら活用を続けた。現在は本社だけでなく東京や南紀を含めた6拠点の各部屋、30余りの映像をどこにいても確認できるようになっている。

スリックカート――無線アンテナを埋めてラップを計測

スリックカート（ゴーカート）の着順掲示装置の引き合いもあった。

東芝で使ったアレンブラッドリー社のコントローラーを何かほかの分野で使えないかと思っていたところ、レース用のサーキットのスタートラインに溝を掘って、その中にアンテナを張れば、車載の発信機の電波を受信して通過を検知できるというアイデアをサイトウ共聴の大井部長からいただき、面白そうだったので受注した。

新規開業するゴーカート場のオープン当日の未明まで掛かって調整をして納めた。大きな電光表示ボックスにラップや順位が表示できたときは満足感でニンマリした。

この話を聞いた横浜のサーキットからも引き合いがあったが、部材を運んで工事をする手間を考えたり、誰でもできる装置でネオレックスでなければできない仕事ではないと思ったりして、次の受注はしなかった。

自動倉庫――家具メーカーさんに数件納入

また、東芝の自動部品供給システムを一緒に創った関係で、三機工業製の自動倉庫を扱うことができた。先述したように、こうした大手企業が、創立して間もないネオレックスの発注を受けてくれるなど、普通ならあり得ないことである。だが、何しろ東芝への納入実績が効果的であった。

この恩恵を利用して、いくつかの自動倉庫を受注した。パソコンソフトと組み合わせて、先入れ先出し機能や効率のよい入出庫を実現して喜ばれたが、どうも我々の目指すべき事業とは思えず、数件の自動倉庫を納入するに留まった。

初の自社ブランド製品、多機能ワークステーションの開発

東芝工場の仕事はＦＡ（Factory Automation）そのものだったので、その分野への展

開を考え始めていた頃、梱包工程と段ボールへのインクジェットプリントを連動してパソコン制御したいとの引き合いを、愛知県常滑市の大手製陶会社からいただいた。

こうした場合、従来は制御機器としてオムロンなどのシーケンサーが利用されていたが、利用が急激に広がってきていたパソコンとの親和性がほとんどなく、また、工程ごとのデータ制御が必要になると思われた。

そこで、他工程との通信機能を持ったパソコンと親和性が高い、工程管理制御用のワークステーションを自社開発することにした。

マイコンのボード設計やアセンブラー（プログラミングの一種）の経験があったので、各種のＩＯポートを装備し、ＲＳ４２２（２本の線による通信方式、ノイズに強いので現在も工場などで使われている）による通信機能を持ったネオレックス製ワークステーションが比較的容易に完成。工業デザイナーがデザインした青色のスマートなケースに入れて製品化した。

パソコンで決めた生産計画に基づいて、段ボールが供給、展開されてスムーズに自動梱包され、次工程で外箱に製品の名前や機器番号がインクジェットプリンターで刻印される、なかなかの出来栄えだった。

このワークステーションがネオレックスとして初めての自社ブランド製品。自社受注システムにも十数台使用したが、ワークステーションそのものを販売する手立てやアセンブラーによる機能セットが面倒で、大きな展開はできなかった。

後日談となるが、このときシステムを納入したラインを改造したいとの問い合わせを10年以上経ってから受けた。「エッ、まだ動いていたのか?」と水野君と顔を合わせ、ワンチップCPUをROMで動かす製品の安定性と長寿命を改めて感じたものだった。

昔の縁で頼まれ開発も

ホテルのリネン管理システム

ホテルの客室管理システムは、日進電気時代に関西方面に何台か納入していたが、「駒井さんや水野さんがいなくなったので造れないと言われた」と、販売を担当してもらっていた大阪の川村さんからネオレックスに製作依頼が来た。

お付き合いがあったサイトウ共聴の大井さんに相談したところ、やってみたいとのことだったので、ボードやソフトはネオレックスで製造し、筐体や組み付けをサイトウ共聴さんに依頼した。

ホテルのフロントに置くキーボックスにLEDランプを付け、各部屋の在室、チェックアウト予定、リネン指示、リネン完了を表示し、同時に各階にその階の部屋のリネン状況を表示、進捗を入力するシステム。

なかなか役立つシステムで、板金設計、マイコンボード&ソフト開発、遠隔通信など、ネオレックスの得意分野の応用システムであった。だが、これも誰でもできそうな仕事なので深追いはしなかった。

松下マレーシア工場の進捗表示システム

サイトウ共聴さんからの依頼で、パナソニックのマレーシア工場向けの生産管理用進捗表示システムを製作納入したこともある。

このときは、当時中堅企業に勤めていた外部ブレーンの神谷さんに、ネオレックスの「社員」として同行してもらった。

最近、前職時代に上司だった中根工場長と思い出話になり、「昔から同じ手を使っていた」と指摘された。第1章で述べたIHIの案件（シールド掘削機の制御装置開発）で、外部ブレーンの宇佐美さんにも同行してもらっている。

中根さんいわく、当時から私は、「聞かれればなんでも『できる』と言っていた」そうだが、これは優れた外部ブレーンに恵まれていたからでもある。ともかくあらゆる手段を駆使して「なんでもやってしまう人」だったようだ。

この仕事での成果は、工場設備では海外にもニーズがあり、ネオレックスの仕事にできるのを再確認したことだ。

私立大学向けの教育機器システム

㈱教育ソフトの関係や、それ以前からのお付き合いで、教育機器システムの開発の依頼も代理店から来ていた。

前職時代のような公立の小・中学校や高校ではなく、対象は私学。苦い経験の多い入札はなかったので、事業展開ができそうなプロジェクトに限って取り組んだ。

その頃は仕事を選べる状況ではなかったという事情もあるが、大きなテーマとして取り組んだのは、次のようなシステムだった。

●教育用動画の一発呼び出しシステム

後に主力技術となるマイクロバーコード技術を応用して、教育用動画の一発呼び出しシステムの開発に取り組んだことがある。数分単位の映像教材のビデオクリップを専用サーバーに置き、指導用教科書の余白に印刷したバーコードを読み取ると、その画面が教室のテレビに映し出せるものだ。これを開発し、NHKが保有する膨大な理科教材の動画の一部を試行的にライセンス取得し、テストをしていた頃、それを知ったビクターから話があった。

ビクターの教育用ビデオレコーダー部隊が、美術の教科書会社とタイアップしてＤＶＤの映像教材を制作した。そのＤＶＤのケースに収める教材リストにマイクロバーコードを印刷し、ネオレックス製のリモコンで読み取ってビクターのＤＶＤプレーヤーに送信すると、目的の画面が即座に出る仕組みを開発しようということになった。

その後、さらにその技術を英語教材、それも映画のレーザーディスクに絞って応用したシステムを開発した。大学の教室でたくさんの学生さんが同時に映画を楽しみながら学習できる装置だった。

そのほか、こうした機器をつないだＣＡＩ（コンピュータ支援教育）学習システムも創った。

●パソコン画面の共有装置
パソコン教室で、教師の画面を全学生が同時に各自のモニターで見ることができ、個々の学生のパソコン画面を教師が選択して見る機能を実現したもの。

画像信号は容量が大きく高周波。伝送系のインピーダンス整合など、かなり苦労したが、何校かの大学に納入した。このときも高周波に強い宇佐美さんの協力を得たと思う。

驚異の新人パワー

プレイステーション発売前、新人とソニーを訪問

㈱教育ソフトにアルバイトに来ていた健児君が、前年にネオレックスに入社していた裕樹君に続いて、入社をしてくれることになった。

二人の中村君がネオレックスで揃い踏みとなったわけだが、彼らが名古屋では知る人ぞ知るパソコンオタク（失礼）だったと後から聞いた。

入社に当たって「将来ゲームを創りたい」と言う健児君に、私は「その望みをかなえてあげる約束はできない」と説明していた。そもそもネオレックスでゲームを創るなど考えたこともなかった。

ソニーがプレイステーションの発売を発表したのは、その直後。健児君はすでに情報を得ていたのであろう。社長室にやって来て、ゲームソフトの開発プランについて話しだした。

ゲーム機業界の動向、ソニーのプレイステーションの仕様などなど……。思い付きではなく、明らかに研究をし尽くしたうえで、未来の、いや、すでに出来上がった作品のイメージをしっかりと持った話の内容であった。

その情熱的な話の奥深さに感動し、一緒にソニーを訪問することにした。

青山にあるカナダ大使館の大きな敷地に隣接したビルに、当時のソニー・コンピュータエンタテインメント（現・ソニー・インタラクティブエンタテインメント）があった。

想像を絶する残業時間に「ひと月って何時間？」

健児君が、その思いを再びソニーの担当者の前で滔々と話し、質問をした。

ソニーの担当者も舌を巻く内容であったことは、そのときの雰囲気で私にも分かったし、後から実際にソニー側からもそう伺った。

ソニーの担当者は、すでにライブラリーも出来上がっているから容易にソフト開発ができること、ＤＯＳ－Ｖ（かつてのＯＳ）のパソコンさえあれば大丈夫といったことを説明してくれた。テストマシンも割り当ててくれるとのことだった。

早速、開発にゴーサインを出した。初代プレイステーションが発売される平成６年（１９９４年）12月３日まで７カ月を切った５月のことであった。

実際に取り組んでみると、ソニー提供のライブラリーは未完成でバグも多く、ハードの特性を検証しながらライブラリー自体を作り直す必要があった。また、膨大なテクスチャー（広大なゲーム空間を創るための背景要素）の制作にかかる労力も、想像を絶するものであった。

健児君の申請する残業時間が月数百時間となり、「いったいひと月って何時間あるの?」と思ったほどであった。作業のピーク時には、メンバーや外部の応援メンバーら20人近くの人が、夜を徹してミニビルを上へ下へと走り回る大騒ぎとなった。

プレステソフトナンバー9番「コズミックレース」誕生

このゲームソフトのプロトタイプが出来上がる頃、作品を持って東京のゲーム関係の出版社を回ってデモをし、記事を書いてもらった。健児君への雑誌社のインタビューもたくさんあった。

会社へソニーの担当者が訪れたこともあったが、最小限の開発環境で制作が進められていることに驚きを隠さず、健児君の技術力を大いに高く評価してくれた。

開発終盤、どうしてもプレイステーションとの同時発売は無理と分かり、1カ月遅れの翌年1月に発売となった。今では万を超えるであろう作品を数えるプレイステーションソフトの中で、ネオレックス製ゲームソフト「コズミックレース」の作品番号は9番であった。

ソニー側、特にチェックマンからは、「技術的には問題はない。すごい。だが、作品的にはブラッシュアップが必要。もっと時間をかけたらどうか」と強い要望が示された。もちろん開発した健児君自身にも、さらに強いブラッシュアップへの希望があったと思う。

平成7年（1995年）　新人の熱意から誕生したゲームソフト

だが、応援してくれていた銀行の支店長に、それ以上資金援助を要請するのは難しかった。資金調達を担当するマネージャーの佳子さんとも相談し、健児君と話し合いのうえ、断腸の思いでブラッシュアップを断念して発売に踏み切ることとした。

「コズミックレース」は2万4000本リリースされ、必ずしも高い評判を得られなかったことは、ソニーに対しても面目なく、心残りも多いプロジェクトではあった。

しかし、ソニー製品の開発を見事やり遂げた健児君の才能や努力、周囲で支えたスタッフの思いやりなど、評価すべきことは誠に多かった。そして資金面で援助いただいたあさひ銀行（現・りそな銀行）さんに心から感謝するところ。

学生だった研司君をアメリカへ営業派遣

プレイステーションが完成した頃、ソニーがアメリカで事業展開するための拠点を現地に開設したことを新聞で知った。

発売当時、「コズミックレース」は、ソニーが発売した2本に続く3本目のレーシングゲームであり、話題にはなっていた。アメリカ進出を考え、大学生だった研司君に頼んで、アメリカへ向かってもらった。

ロサンゼルスに着いた翌日、研司君から電話があった。

「ロサンゼルスにはソニーはないようです！」

慌てて調べ直すと、ソニーのアメリカ拠点はサンフランシスコにあることが分かり、研司君に連絡した。言わずもがな、ロサンゼルスとサンフランシスコは、同じカリフォルニア州にあるとはいえ、５００キロ以上も離れた別の都市である。

だが研司君は、単身サンフランシスコへ移動し、無事にソニーを訪ねた後、ゲームソフト屋さんで飛び込みのデモンストレーションなどもしてきてくれた。

研司君、大学2年生の時だったろうか。後にアメリカへ1年間の留学をする前で、まだ実践英語も身についていない頃のこと。いい加減な親の指示を受けて遠くアメリカに送り込まれ、究極の「かわいい子には旅をさせよ」状態だったと思う。

思い付いたらすぐ行動、時に無茶振り

あのとき、どうやってサンフランシスコへ行ったたか、宿はどうしたのかなどは、研司君に聞くこともなかった。そのうえ、ついでだからとヨットのセール（帆）と大型地球儀だったかを調達してもらい、1個は航空便で送ってもらい、もう1個はハンドキャリーで

持ち帰ってもらった。

　息子にこうした無茶振りをしていたことは、今改めて反省するところ。

　研司君は学生時代、長野県松本市にいたが、通訳として一緒に台湾へ行ってもらったこともある。ＦＡＸにピポ機能を標準装備しないかという、台湾のＦＡＸメーカーへの売り込みだった。

　ピポは、ネオレックスが開発していた極小バーコードリーダーを使った音声応答端末。この装置を使うと音声案内に従って商品の注文や業務報告などをワンタッチで操作でき、結果をＦＡＸで受け取ることができる。

　台湾では大変歓迎されて、社長さんや技術スタッフの前で、プレゼンをした。私の話を英語に通訳する研司君の横で、時に説明のニュアンスが違うと感じて私が口を出した場面もあった。

　帰りに空港へ送ってくれた技術者のリンさんにお礼を言ったところ、「My pleasure」と答えてくれたのが印象に残った。思い付いたらすぐ行動に移す私の特性が出た台湾出張。楽しいプレゼンだったが、商談としては進まなかった。

マイクロバーコードで事業展開

当初は笑い飛ばされたマイクロバーコードリーダー

新聞のテレビ欄に印刷した極小サイズのバーコードを読み込み、ワンタッチで番組の録画予約をするというアイデアが出た。

当時ネオレックスに在籍していた工業デザイナーの古田さんがデザインし、中村裕樹君が設計やワンチップCPU（コンピュータやメモリー、入出力機能などを一つに詰め込んだICチップ）のソフトを開発して、マイクロバーコードリモコンを試作した。

金型を起こし、量産試作を担当してくれたのは、愛知県丹羽郡扶桑町の樹脂会社。出来上がった試作品を、ベンチャー仲間だった大阪の西本さんと新潟の野々村さんも交え、テーブルを囲んで検討した。今も本社の役員室にある、応接セットのテーブルである。

リモコンの先端に赤色のLEDを置き、極小サイズのバーコードを照射して、その反射光をリニアセンサーで感知する構造であった。

出来上がったリモコンの発する光は上下に広がって、バーコードに照準を合わせにくい。ちょうどテーブルの上に透明ケース入りの精密ドライバーセットがあり、そのケースのストッパーが目にとまった。棒状の突起がベースとふたに付いていて、閉めたときにパッチンとかみ合うもの。

その透明の細い棒をニッパで切り落とし、リモコンの口に当ててみると、薄ぼやけていたLEDの光がシャープに集光されて直線となり、バーコードに光を当てやすくなった。同時に、読み取り感度もよくなった感じがした。

その後、長野県諏訪市にあるレンズメーカーの技術者が社外ブレーンとともに来てくれたので、試作リモコンと「透明の棒」を見せた。二人は一目見るなり、「素人はこれだから困る。シリンドリカルレンズ（ガラス棒）は光学レンズとしては使えない。これ、レンズの常識ですよ」と大笑いして帰っていった。

世界7カ国で特許取得

笑って帰る二人を見送ってすぐ、裕樹君にシリンドリカルレンズで生じる光の分散を分析してほしいと依頼した。しばらくして出来上がった光学図は、シリンドリカルレンズへの無数の光の筋が、横方向に分散することなく縦方向に集光し、細いラインとしてバーコードを照射することを示す見事なものであった。

このことを、付き合いのあったエルモ社の知人に話したところ、早速、レンズの専門家と光学技術者を連れて来社してくれた。バーコードリモコンの量産試作品と光学図を見せたところ、彼らは感嘆して言ってくれた。

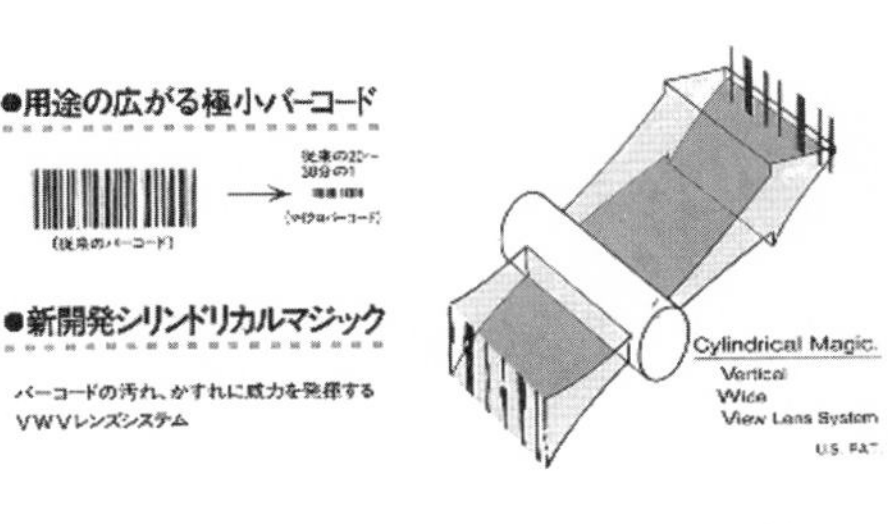

平成5年（1993年）～平成18年（2006年） 世界7カ国でシリンドリカルレンズの特許を取得

「これ、すごい！ シリンドリカルレンズは、横方向は一点に集光し、縦方向はぼかすもの。それでLEDのビームを集光させて1本のラインにすれば、極小サイズの対象に照準を合わせやすくなるだけでなく、上下方向に画像をぼかすので、印刷されたバーコードのにじみや汚れを飛ばしてくれる効果もある。これ発明！」と。

その頃、野村證券の若い営業マン・高橋純さんが、時々会社へ来ていた。ベンチャー発掘が目的だったのだと思うが、前向きな好青年だったので時々情報交換をしていた。彼にこの話をして特許を出したいと話すと、会社に帰って弁理士事務所を調べてくれるという。前職時代から接触のあった弁理士さんも何人かいたが、この際、高橋さんに任せて紹介してもらうことにした。

紹介を受けた東京の有名な弁理士事務所さんのパワーで、アメリカ、ヨーロッパ、中国など7カ国でシリンドリカルレンズの特許を取得することができた。

余談になるが、このときお世話になった高橋さんの目標は、「社長になって経営をする」

ことだった。

筑波大学を卒業後、野村證券を経て、飲食系や建築系で経営の経験を積み、住宅建設会社の経営を引き継いだ。持ち前の誠実さと開拓魂、探求心で、現在は岸和田市で堅実に発展しておられる。

私が「独立」を目指したのと同様に「経営者」を目指した高橋さんとは、何か相通じるものがあると感じ、今もお付き合いを続けている。

後の腰痛の原因？――週３日の出張を重ねて東京進出

創業時に洗濯機工場の部品供給システムを手掛けた後、その実績とノウハウを生かす製品の開発をし、事業化を模索した。だが、工場用の機器開発はネオレックスの使命としては、あまり魅力的に思えなかった。

一方で、パソコンが広く世間に普及し始めていた。私が最初に触れたパソコンソフトは、ごく初期の表計算ソフトだったが、なんと便利なものかと感動した。

「この感動をすべての人に味わってもらいたい！」との思いから、パソコン用のシステム開発が今も続く私のライフワークの一つとなっている。

ただ、パソコンの機能や能力には巨大な可能性を感じたものの、万人がこれを使いこなすのは難しいとも感じていた。

そこで、誰にでもパソコンが使いやすくなる便利ツール「人にやさしいコンピュータ操作器」として、マイクロバーコードの活用を考えたのである。

前述のように、新聞のテレビ欄に印刷したバーコードを録画予約に使う、マイクロバーコードリモコンを試作した。その後、この技術を「人にやさしいコンピュータ操作器」として活用すべく、パソコンに接続できるマイクロバーコードリーダーを開発し、何千台かを製造した。

こうしたゼロからの普及活動は、いくつかの企業と接した感触から名古屋では難しいと思い、毎週3日間、東京でホテル住まいをして都内を駆けずり回った。

当時の私は、名古屋には自由な発想がない、大阪は自由奔放でノリはいいがお金が出ない（?）といった印象を抱いていた。その点、東京は、巨大都市で企業も圧倒的に多く、偏りのない魅力を感じて、無視できないと思っていた。

火曜日の早朝に名古屋を出て東京に向かい、10時に一件目を訪問、毎日3件以上、3日間フルに活動して、3日目の夜遅くに帰宅する。受発注システムなど、マイクロバーコードリーダー活用システムの資料やデモ機を持ち歩いた。

これはかなりの重さとなり、一軒でも多く訪問したいとの思いから駅の階段を駆け上がるのは、大変な重労働だった。その後、何年か経って腰痛に悩まされることになるが、このとき持ち歩いた大荷物が、大きな要因だったと思っている。

そうした生活が続いたので、東京の神楽坂に仮事務所を置くことにした。これは、起業して5年ほど経った頃のこと。それ以来、ネオレックスは神楽坂に東京事務所を置き、現在は社長、CEOとなった息子たちが常駐する現行のスタイルにつながっている。

平成5年（1993年）　仮事務所から移ったネオレックス東京事務所の私とマネージャー。現在のNX神楽坂ビルから西60mにある高橋ビルの6階。ロフト付きだった

ジジババ戦争――Gコードとの戦い

平成4年（1992年）に開発した「マイクロバーコード」は、もともとあった「Gコード」に取って代わろうとしたものだった。

Gコードは、アメリカのジェムスターTVガイド・インターナショナル社が昭和63年（1988年）に開発したビデオ録画の予約システムで、まさに平成4年（1992年）に日本にも上陸してきた。日本で先行採用したのは朝日新聞。同じ年内に読売新聞が続き、翌平成5年（1993年）からは多くの新聞やテレビ雑誌が採用するようになっていった。

Gコードでは、新聞のテレビ番組欄に4～10桁のコード番号を印刷し、リモコンでその

番号をビデオレコーダーに入力して録画予約していた。それに対して、番組欄の余白にマイクロバーコードを印刷し、ワンタッチで録画予約しようとするのがマイクロバーコードリモコンだった。

当初、朝日新聞がほかの新聞社にもGコードを採用するよう働きかけていたので、新聞各社が朝日新聞に対抗する意味もあって、マイクロバーコードに注目が集まった。

名古屋のネオレックス本社に、朝日新聞の地元記者が取材に来た。詳しく質問されたので、ありのままを話し、バーコードリモコンの試作品も見せた。記者はマイクロバーコードの有用性を認めて記事を書いてくれることになった。

実を言うと、Gコードを紙面に印刷している朝日新聞で記事になることはさすがにないだろうと思っていた。巷の一ベンチャー企業を本気でライバル視することもなかろうが、自社が普及に力を入れている規格の対抗技術を、大々的に報道・宣伝することなど普通はあり得ないからだ。

だが翌日、三段抜きの比較的大きな記事が地方向けの早版に掲載され、そのコピーが記者さんからＦＡＸで送られて来た。

さすが大新聞は違うものだと感心していたところ、「都市向けの最終版では記事が縮小になる、申し訳ない」との連絡があり、一段の小さな記事になってしまった。

とはいえ、小さな記事としてでも全国版に掲載したのは、さすが一流新聞と言うべきであろう。

当時、80年代の中曽根、レーガン両首脳が解決を目指した日米貿易摩擦の延長で、アメリカ製品の日本への輸入が推進されていた。特に、ハイテク製品には日米半導体協定なども働いていた。

そうした事情が「ジジババ戦争」とも言われたGコードとマイクロバーコードの戦いで、アメリカ発のGコードに有利に働いたとまでは思わないが、いずれにせよ、残念ながらマイクロバーコードがGコードに取って代わることはなかった。

以前からお世話になっていた会計士さんに斡旋いただいて霞が関ビルディングで記者発表をしたり、地元の中日新聞が試し刷りで機能を実証してくれたりするなど、マイクロバーコードはそれなりに実績を残したと思うが、まだまだネオレックスは微力であり、新しい文化の創造には至らなかった。

ネオレックスのオリジナルＩＣ（集積回路）開発

ジジババ戦争のさなか、一方でパソコンに接続できるマイクロバーコードリーダーを開発していたことも先に述べた。

マイクロバーコードリーダーの回路構成は、ワンチップＣＰＵと光を読み取るリニア

CCDがあり、その間にCCD駆動クロック発生回路とCCDからの出力パルスを整形する回路が必要になる。

これらの二つの回路を1個のICにまとめることができれば、このICとCCD、ワンチップCPUの3個のパーツだけでリーダーを構成でき、シンプルで安価に製造できると思った。

NECに相談したところ、回答があった。

「費用を1200万円ほど掛ければできると思うが、仕事が詰まっていて人手がない」とのこと。パソコンの普及に伴って起こったITバブルの頃だった。1年以上待ってもらうことになると言うNECの担当者にいろいろしつこく聞くうちに、「開発に使うワークステーションがある。NECに来て自分で開発するなら、支援する」と言ってもらえた。

NECの施設を借りて新人が見事完成

その頃まだネオレックスの新人だった裕樹君に話した。

「裕樹君、半田ゴテ持ったことあるかい？　今どきの回路設計はワークステーションでするそうだ。オリジナルICを創ろうと思うが、NECがワークステーションを貸してくれて、指導もしてくれるそうだ。君なら2週間もあればできると思う。やってみないか？」

やる気満々の裕樹君がNECに赴き、見事に設計を完成させた。さすがに2週間ではきなかったが20日ほどでやり遂げてくれた。

裕樹君がミッションを終えて帰ってきたとき、あいにく私は東京出張中で不在だったが、社長室に飛び込み、畳ほどもある大きな紙にトランジスタがびっしり並んだ設計図をマネージャーに見せたときの彼の高揚した様子は、今も時々話題に上っている。

開発したＩＣチップは「ＮＸ１（エヌエックスワン）」と名付け、その後の量産に活用された。

オリジナルＩＣを搭載したＰＣ用マイクロバーコードリーダーの量産は、香港のＩＤＴ社に委託することになった。当時在籍していたデザイナーの古田さんがケースのデザインを決め、回路設計やワンチップＣＰＵのソフトなど開発のすべてをネオレックスメンバーが担当して、中国・深圳(せん)市の工場で生産した。

アイデアは無限に出るので「差し上げます」

富士ゼロックスの開発部門を訪問して話をしたことがある。前職で富士ゼロックスに勤めていた拓央君との関係もあったのであろう、マイクロバーコードに関心を持っていただいた。

ひとしきりマイクロバーコードの特徴や広い活用分野の説明をした後で、富士ゼロックスさんが協業していただけるのなら……と、こんな話をした。

マイクロバーコードは、横10ミリほどの極小サイズに、28本の太い線と細い線を組み合わせて印刷する。プリンターには印刷物の見た目を滑らかな線にする目的で各種の工夫がなされていて、線の太さが勝手に微調整されてしまう。それでは正しいバーコードにならないため、ネオレックスでは、プリンターのドットを直接制御してマイクロバーコードを印刷する技法を開発し、利用していた。

そうして作成され、文書やチラシ、新聞などに印刷されたマイクロバーコードを、コピーしたいことがある。だが、コピー機を使うとバーコードがにじんで読めなくなってしまう。

そこで、光学的に画像を読み込んだときに、そこからバーコードを検出して、その部分だけドット制御して正しい太さでプリントする機能があると都合がいい。印刷で劣化することもあるバーコードが、コピーするとより精細になるという画期的な仕組みだ。

ざっとそんなことを話すと、聞いていた技術の方が、即座に反応した。「特許申請を出しましょう、共同出願しましょう！」

訪問の前に電車の中で考えたアイデアに乗っていただけたのは誇らしかったが、技術的な詰めや弁理士さんとの打ち合わせなどまで考えると、ネオレックスにはそういう余力がない。そこで、「これは富士ゼロックスさんで進めてください」とお願いした。

条件は、ネオレックスとの共同アイデアとして出願すること。ネオレックスは出願や維持の費用負担はしないとし、特許の権利自体は放棄した。

そのようにしたのは、私のアイデア観から。

アイデアとは、考えれば無限に出るものと思っている。面倒な手続きや費用をかけてアイデアを囲い込んでも、ほとんどの場合、成果は出ない。そうしたエネルギーはアイデアを素早く実現し、ほかの追随を許さずに先行発展させることに費やすほうがよい。

この特許は成立し、今も毎年共同発明者としての継続同意書が送られてくるので、なんらかの形で利用されているのかもしれない。

教材DVDへのワンタッチアクセス機能

ネオレックスには、日本の教育の役に立ちたいといった思いもある。

そこで、簡単操作ができるマイクロバーコードリモコンを教室で活用してもらう方法をいくつか検討していた。

その一つが、小学校の教室で使うビデオ教材のワンタッチアクセス。前述したようにビクターの美術教材用に開発し、英会話学習装置に応用したものである（162ページ）。

授業を行いながら、適宜、最適な画像教材を提示できるこの仕組みは、多くの人の支持を得たが、普及に至ることなく終わった。

究極のパソコン簡単操作ツール「OTTO」

究極の簡単パソコン操作器として、「OTTO」というソフトを開発して売り出そうとしたこともある。命名は、「One Touch Taught Operation」の頭文字から。

例えば、日頃PC操作をしない上司が売上を見たいと思ったとき、「売上を見る」という操作や、見たい月、部門などを選ぶメニューをマイクロバーコードとともに印刷しておいて、そのバーコードを読み取るだけで目的を果たす機能を実現していた。

展示会でこれを見た人が絶賛し、その場で「これが欲しい」と言っていたことを今でも思い出す。

OTTOは、市場に出すところまでは行かなかったが、こうした機能は今でも有用ではないかと思っている。人にやさしいマイクロバーコードからは、数え切れないほどのアイデアが生まれ、このほかにも多くの開発をしてきた。

●カラオケワンタッチ選曲リモコン

当時のカラオケは、何桁もの番号を入力して曲を呼び出していたが、分厚いカラオケ本のすべての曲名の横に印刷されたマイクロバーコードを読み取るだけで、一発選曲や予約ができた。

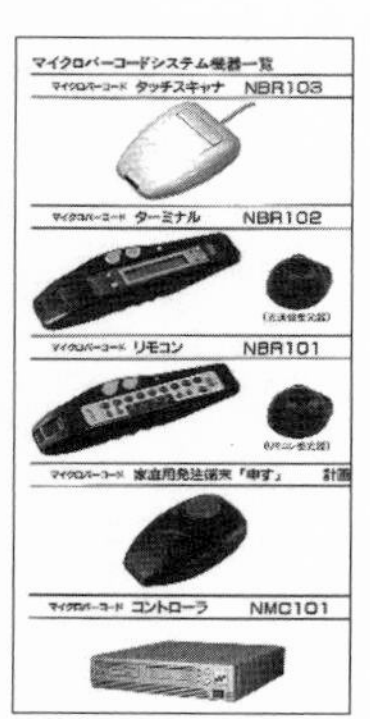

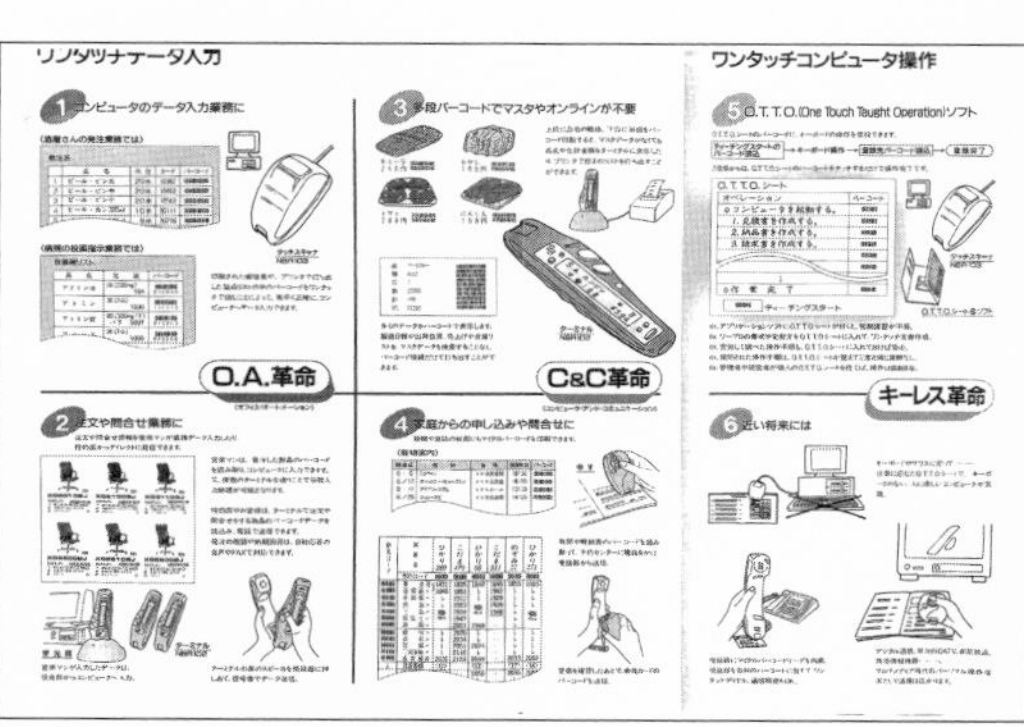

平成5年（1993年）～平成18年（2006年） コンピュータの簡単操作を目指して開発したマイクロバーコード応用機器

●インターネット簡単アクセスツール

バンダイのピピンアットマーク、マイクロバーコード登録機構（Japan Information General）などのほか、Webテレビ、ホームページガイド（月刊雑誌）、株式新聞、競馬の勝馬投票、生鮮食品発注（生協）などの機器やシステムを開発した。

●業務用発注端末

先述のマイクロバーコードを利用した音声応答端末ピポ（食材受発注、介護報告）として発売。

人にやさしいコンピュータインターフェースとしてのマイクロバーコードに対する根強いニーズを感じ、極めて多くの開発を行った。

「クイック、前向き、ローコスト」

マイクロバーコードは多くの人から注目を浴び、支援や提携の申し出をいただいた。

大手のコンピュータシステム会社ＪＩＰ（日本電子計算）さんから提携の申し出をいただき、展示会の来場者管理サービスを開発した。広い大きなテーブルがある会議室で役員の方々にお目にかかり、緊張しながら提携の挨拶をさせていただいたことを覚えている。

その後、提携を祝したパーティーが所管部内で開かれ、挨拶をした。

そのとき、自社の弱みを逆に強みにする言葉として、その場で思い付き、お話ししたのが、ネオレックスの行動指針「クイック、前向き、ローコスト」だった。

これが、提携を推進していただいた部長さんに大変気に入っていただけ、仕事を進める中でもしばしば引用していただくことになった。

この言葉、英語の中に日本語があって、ゴロもよく、私自身も大いに気に入った。その後20年以上経った今でも、ネオレックスの行動指針として掲げ続けている。

超緊縮財政の中で、研究開発棟＝本社ビル建設

赤字決算は即「銀行融資停止」

創業時、「下請けはしない、独自製品！」「新しい文化の創造を目指す」と、威勢のいい宣言はしていたものの、経営的にはまさに火の車だった。

独立したとはいえ、これをやると決まった仕事はなく、「開発経験と実績を生かして頑張れば何かできるだろう！」といった、誠にいい加減な起業をしたためとも言える。

確かに、独立直後に大型案件を受注したが、その実績をもとに展開する事業には、新しい文化的要素もなく、独自製品につながるものもなかった。

創業して5年ほどした頃の決算で、どうしても赤字になることが分かった。縁があってお世話になっていた会計士さんに相談をした。

「今どき、どこの会社も赤字だから平気」。日頃上場企業の監査をしている経験から、そう言われたと思う。そうした助言をもらったので赤字決算書でその期を締めた。

ところが、その赤字決算を見た銀行の反応は誠に明確だった。

——融資停止。

以後、黒字になっても3年間は一切融資を受けられないことが分かった。財務担当のマ

ネージャーは、腰を抜かさんばかりに仰天した。

なんでもいいから黒字！　これが中小企業にとって鉄則であることを知った。

その後は超緊縮財政、まず私たちの給与を減らし、できることはすべて自社でこなし、無駄な出費を無くすなどして生き延びた。今も、2000円以上の出費には稟議書が必要なネオレックス・ルールは、こうした貧乏経営時代の名残でもあり、将来に教訓をつなぐものとなっている。

マネージャーと月参してようやく譲り受けた隣地

ネオレックス設立の前に自宅の北隣にミニビルを建てたのは、私が41歳の時。34歳の時に建てた自宅のローンを返済するため、定期貯金で積み立てていた資金を頭金にした。

自宅から見てミニビルの反対に当たる南側に、40坪ほどの土地があった。

「事業には資金調達の際に担保となる不動産が要る」との思い込みもあって、この土地をなんとか手に入れたいと思っていた。地主さんには、その土地を一時的に貸す意向さえ一切ないとは知っていたが、駐車スペースとして借りることだけでもできないかと、希望を捨てていなかった。

そのうち幸いなことに、地主さんがマネージャーの叔父さんが経営している会社のお得意先の役員だと分かった。そのつてで話をしてもらい、その土地を駐車場として月額10万円で貸していただけることになった。ネオレックスを設立して間もない頃のこと。

それ以降、いつかその土地を譲ってもらおうとの思いで、毎月の賃料を瑞穂区にあった地主さんのお宅にマネージャーと二人で持参し、ご挨拶を欠かさなかった。

これを10年続ける間に、地主さんの奥さんとも親しくなり、その後に土地を譲ってもらうことができた。

担保が2倍に使えると聞いたのに……

設立10年後、資金繰りに四苦八苦していた中で、前述の南側の土地を購入し、研究開発棟を建築した。どうして資金がないのに土地を購入し、そのうえ建築までできたのか？

もちろん簡単ではなかったが、不動産の購入は即、その土地を担保に差し出すことができるので、マネージャーパワーでなんとか調達ができた。その後、すでに借入をしていたいくつかの金融機関の中の一つ、中小企業金融公庫（現・日本政策金融公庫）から、建築の提案を受けた。

「技術力が評価されているネオレックスなら、ビルを建築すれば一般の2倍の価値の担保として融資することもできる」との話だった。「資金調達には担保がいる」その担保が2倍に使える！　これを生かさない手はないと飛び付いて、研究開発棟の建築に踏み切った。

設計は小川建築設計事務所、建設は大成建設。着工が平成8年（1996年）でバブルが弾けた後の絶不況の時期だったので、普通なら考えられない大手建設会社が建築を引き受けてくれた。

ビルを建てるのは自宅とミニビルに続く3棟目。資金繰りの関係でローコスト、シンプル構造を目指した。照明を除くすべての電気配管をやめてフリーアクセスにし、コンセントやLAN、電話などの配線はすべて自社で工事。将来の拡張スペースをできるだけ多く確保しておくようにした。

建設費用は、丼勘定もうかがわせる「きっちり1億円」だった。

そうしてビルが落成したが、完成後もすぐには入居しなかった。実は担保能力が倍になるといった「うまい話」はないと分かり、業績が振るわない中、建築費用を返済する目途が立たなかったのだ。

そのまま賃貸することを考えて入居の募集をかけたが、自社ビル仕様なので塾ぐらいにしか利用できないことも分かった。完成後2カ月ぐらいして、いよいよ決断し、入居を決めた。

平成9年（1997年） 新築した研究開発棟と玄関（令和2年〈2020年〉撮影）

各階に収納スペースが必要だったので、壁際に収納ラックを特注した。小学校の教室の後ろの壁にあるランドセル置き場のような棚を、ベニヤ合板で34本ぐらい作って設置した。

引っ越しの日に、売却するときの資産価値を少しでも高くしておくためにドキン（土足禁止）にした。私がホームセンターで安価な銘木を見つけてくると、当時まだ学生でたまたま帰省していた研司君が、玄関に置く踏み板を作ってくれた。カンナも掛けない荒削りのままの踏み板が、今も本社ビルの玄関で使われている。

この研究開発棟＝現・本社ビルに入居すると、2階から5階までの事務スペースができ、6、7階は吹き抜けの資材倉庫となって大量のマイクロバーコード製品が収まった。

仕掛品の費目で見かけの利益捻出

拓央君や研司君がネオレックスに入る前のこと。

プレイステーションソフトの発売やマイクロバーコードの展開、本社ビル建築……。話題は豊富であったし、メンバーのみんなも生き生き楽しく仕事をしてくれていた。

だが、何しろ継続して利益を生む事業が無く、ネオレックスは「夢を食うバク」のように生き延びていた。だんだんと緊縮財政だけでは収まらない状況になっていく。

それでも、昔受けた銀行融資停止のトラウマがあって、銀行さん向けに出していた決算書は毎年利益微増、売上がないのに利益を出していた。

どうやって?

その方法が「仕掛品」の活用だった。

仕掛品とは、決算上、翌期以降に売上が見込まれる資産のこと。例えば建設会社だと、建築を請け負った建物が決算時に完成していない場合、そのときまでの作業の対価を完成時売上見込金、仕掛金として計上できる。これを活用して、なんとか赤字決算を回避していたのだった。

当時、ネオレックスはJIG(Japan Information General)構想を掲げていた。日本中で読み取ったマイクロバーコードをすべてネオレックスにあるJIGサーバーに集めて、あらかじめそのコードに登録されたURLなどの情報を返すサービスだ。

このサーバーを構築するために先行投資をしているので、開発部隊の労務費を仕掛りとして計上していた。もちろん、マイクロバーコードに関わるわずかな収益の一部を仕掛品から償却していたので、理屈は通ると考えていた。

経理上はこれで利益が確保できるが、実際にかかる費用の不足分については、銀行さんから融資を受けていた。

時に支店長さんを迎え、確固たる姿勢でマイクロバーコードの遠大多様な夢を語り、「大胆緻密な調達力」を発揮していたのはマネージャー。これはマネージャーの、ほかに類を見ない才能の一つだと思う。後のネオレックス最悪期には、年間8回の借入を実現した記録もある。

なお、口八丁でなんとか資金を調達していたが、返済で銀行さんに迷惑をかけたことはないのが密かな誇り。

「宝の山かクズの山か」国税局で直談判

そのうちに税務調査が来た。

案の定、そこを突いてくる。仕掛りは建設工事などに適応するもの、案件ごとに翌年には売り上げるものだから、「いつまでたっても増え続ける仕掛りはあり得ない」との指摘。夢の話は聞いてくれない。

税務調査に来た職員さんから「まったく理解できない。所管の税務署に来てほしい」と言われ、後日、件の会計士さんと一緒に出頭した。

会計士さんの威光はすごいもので、税務調査のときも「先生、この見解でいいでしょうか?」と職員さんが質問することもあったぐらい。しかし、所管税務署の署長さんにはその先生の口添えもあまり効き目がなく、国税局へ行くように言われてしまった。

仕方がないので、愛知県庁の隣にある名古屋国税局を訪問。ここでも熱弁を振るった。

「マイクロバーコードは世界7カ国の特許取得済み!」

「JIGの活動が始まると、日本中のマイクロバーコード10億個の一個一個に対してのコード発行料や毎月の利用料が入ってくる！」

「従来の概念の仕掛りとは違うことも分かる。しかし、将来クズの山になってしまうかもしれないが、今これは宝の山！」

そうした思いを力説し、さらに、赤字を出すと銀行融資を止められてしまい、それがいかに苦しいことかも訴えた。

そして、「ここを生き延びれば利益は出る。そのときはもちろん十分な納税ができる」と力説。同行してもらった会計士さんと力を合わせて、国内初（?）のサーバー構築のための仕掛品計上に対して、明確な拒否の言葉を突き付けられることなく終わった。

税務署でのこうした談判は、決して認められることはない。正確には、それなりの立場にある人の暗黙の了解を得ることで終わったわけだが、実務上はそれで十分。「いつ誰に相談した」という事実が大事なのだと理解した。

こうして、見かけ上の利益に税金を払いながら、後にはこの仕掛計上が2億円を超えていたので、いかに長期にわたり苦闘を続けてきたかが分かる。

拓央君と研司君の二人が入社したとき、7億円もの投資と借入があったと驚いていたが、実はさらにプラス2億円の「隠し負債」があったことになる。

この仕掛品計上2億円、なかなか処理に時間はかかったが、国税局で説明したとおり、最終的には無事ゼロとなった。

強引に投資を引き上げるベンチャーキャピタルも

最初にネオレックスに投資を決めてくれたベンチャーキャピタル（ＶＣ）は安田企業投資さん（略称ＹＥＤ）。マイクロバーコード自体やコンピュータの簡単操作、インターネットの簡単アクセスの有効性、そしてネオレックスの可能性を評価してくれたものだった。日本長期信用銀行（今の新生銀行）の系列で、後述する研司君とのサンフランシスコ行きに際して、原丈人さんへのアポイントを取ってくれたのは、この会社の吉田さん。

平成13年（2001年）　ネオレックスを最初に評価し、投資をしていただいたYEDの中島社長と担当していただいた吉田さん

その後も、名古屋中小企業投資育成㈱やほかのＶＣから投資を受けた。

周囲の期待も大きかったマイクロバーコードだが、投資の成果がすぐに出るような事業ではなかった。いや、それどころかほとんど成果が出ないままの状態が続いた。

そうしたとき、あるＶＣから投資を引き上げたいとの申し出があった。年中火の車だったネオレックスには当然、株式を買い戻す２０００万円のキャッシュはなく、ただただ現状と将来の見込みを説明した。

担当者がネオレックスにはお金がないという話を持ち帰った後、数日して名古屋支店の幹部の来訪があった。おそらくこのＶＣは、ネオレックスが倒産間近と踏んでいたのであろう。今後の見通しなど聞く耳を持たないといった雰囲気で、「この場で返済を決めてほしい」という。

このＶＣには分割返済などの考えもないようで、当社の都合など一切関係なく、「返してもらうまでは帰らない！」と恫喝して居座った。

どうにもならないので戦略を変更し、値引きの交渉をして話をまとめ、翌日からマネージャーが緊急金策をした。

相談したあさひ銀行（現・りそな銀行）の支店長さんは、そのＶＣの対応に驚いて、「そのときに呼んでくれれば来ましたのに」と言っていた。

一方、ＹＥＤさんには、その後も何かとお世話になった。厳しい指摘も受けたが、私としては、ほのかな愛もあるものと感じていた。後述するネオセルラー設立のときにも、投資を受けるとともに相談にも乗っていただき、今も吉田さんとはお付き合いが続いている。

第4章

目指すはマネされるITベンチャー

【新生ネオレックス】

長男・拓央君の入社——マイクロバーコードの普及を目指して

受発注システム「ピポ」の売り込み

平成9年（1997年）、富士ゼロックスの営業マンだった拓央君が前職を辞して入社してきたとき、ネオレックスはマイクロバーコードを中心に事業を展開していた。

誰もがコンピュータを使いこなせる究極の簡単操作器として、マイクロバーコードを多方面に売り込もうとしていたのである。

そうした中で、最もうまくマイクロバーコードを活用できていた商材が「ピポ」システム。広くチェーン店を展開しているような企業で、各店から本部への日々の注文を集約・手配するシステムとして、なかなか便利なものだった。

各店に配布する注文シートにバーコードを印刷し、店側でそれをリーダーで読み込むと、「ピポパッ」と音がして自動的に電話がかかる。「注文をどうぞ」と音声応答があるので、さらに注文したい食材と数量のバーコードを読み込むと、「卵を5パックですね」などと応答があって注文が完了。注文内容はFAXで送られてきて確認できる。

本部では、そのように各店から送られてくる注文を自動で集計し、仕入先ごとにFAX

で自動発注する仕組みだった。

マイクロバーコードの活用が成功したこのシステムは、レストランチェーンを展開してその後に上場を果たしたペッパーフードサービスの一瀬社長さんから、「順調に事業展開できたのはピポさんのおかげ」との感謝の言葉をいただいたこともあった。

ちなみに、この「ピポ」の音声吹き込みを担当していたのは、ローコストで、かつ小回りが利くマネージャー。昔の放送部でのアナウンス歴が役立った。

拓央君、200食のラーメンを抱えて走る

拓央君が入社して2年を過ぎた頃の、ある日曜日の午後のこと。

茨城県のラーメンチェーン本部から、システムのせいで麺の発注ができなかったという連絡が入った。

「東北の店舗には、社長が車で麺を配りに行った。この冬の時期、事故にでもあったらどうしてくれるんだ！」

「岡山の店舗までは、自分たちで直接届けるわけにもいかず、明日には麺の在庫が切れてしまうので休業するしかない」

そういった内容のクレームに対し、拓央君は、まずはお詫びをした後、お客様にこう提案した。

「それなら岡山までは私が手持ちで運びます。私も土浦へ向かうので、今すぐ土浦から麺を持って出てもらえませんか。私が途中の駅で麺を受け取って、すぐに東京駅に向かって新幹線に乗れば、今日中に間に合う可能性があります」

かくして拓央君が、着の身着のままで岡山へと走ることになった。

上野から常磐線に飛び乗った彼は、土浦を出発した麺を途中の駅で受け取りUターン。上野での山手線への乗り換えも、東京での新幹線への乗り換えも、駅構内を全力疾走した結果、なんとか岡山行きの最終の新幹線に間に合った。

200食分の麺を持っての全力疾走は実にハードで、新幹線が東京を出てから名古屋を通過するぐらいまで、デッキから席まで歩くこともできなかったという。

一方、この日、名古屋の本社では、関係する技術者全員と役員が緊急出社して、原因を追究していた。クレームに対する全員の真摯な対応を目の当たりにして、マネージャーとともに感動を禁じ得なかったことを覚えている。

また、後日その際のトラブルの原因も判明した。まだ転職をして間もなかった先方の社長のお嬢さんが発注操作ミスをしたとのことで、涙ながらにお詫びの連絡をくださったことも印象に残っている。

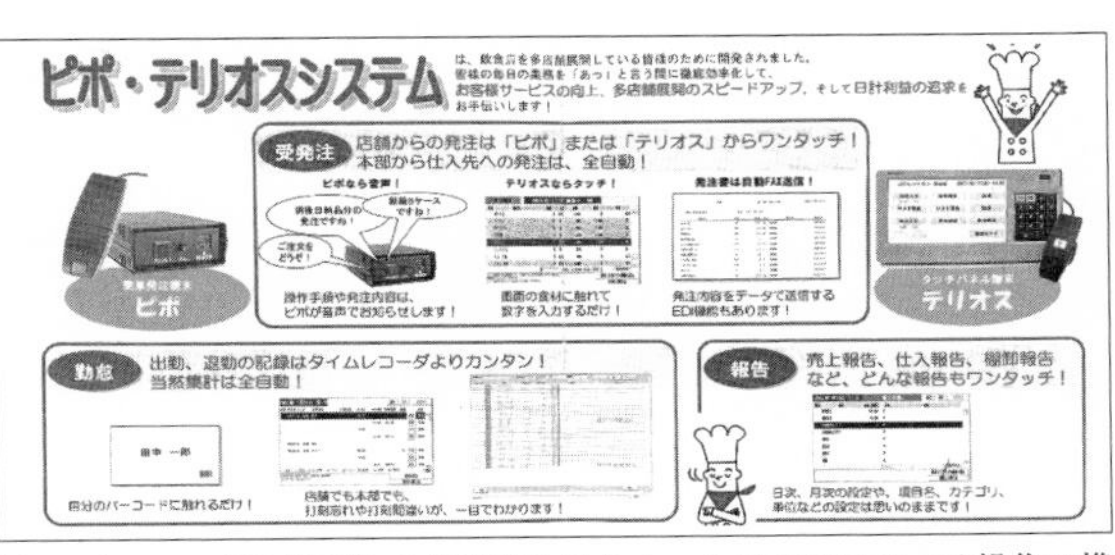

平成14年（2002年） マイクロバーコードを利用した受発注システム。テリオスはタッチ操作の携帯型PC

苦境脱出のヒントとなったあるリクエスト

そんな中、あるユーザー企業さんから、後に社業の大転換につながる一つのリクエストをいただいた。

それは、社員が朝や退社時に「ピポ」でバーコードを読むだけで、タイムレコーダーのような勤怠記録をすることはできないだろうか、というものだった。

その飲食チェーンでは、社員の勤怠管理のため、オーナーの奥様が毎月、各店舗を回って当月のタイムカードを回収し、翌月のタイムカードを配って歩いていた。その手間に加え、回収したカードの集計も大変だとのこと。

そうしたニーズは多店舗展開しているほかのチェーンストアにもあると考え、早速リクエストに応える機能を開発。ピポの拡張版としてすでに開発していた「ピポ・テリオス」システムに搭載して、数社のチェーン店に納入した。

こうした取り組みが、後に転機をもたらし、ネオレックスの苦境脱出につながっていくこととなる。

マイクロバーコード活用の広まり

マイクロバーコードのそもそもの原点は、すでに述べたように「人にやさしいコンピュータインターフェース」というコンセプト。このコンセプトに共感し、関心を持ってくれる企業や、製品に組み込んでくれる機器メーカーも現れた。

例えば、日本証券新聞は、ネットの株価情報をワンタッチで呼び出すことのできるバーコードを紙面に印刷してくれた。

競馬の投票支援システムとして「ＪＲＡ ＩＰＡＴ」に対応する仕組みも開発した。携帯電話に取り付けたマイクロバーコードリーダーを使い、ワンタッチで競馬の勝馬投票ができるもので、競馬の実況ラジオ番組を配信している会社を通じて販売していた。

大手商社が新しいビジネスとして展開を図ろうとしていた、配送事業の支援もしていた。これは、一般の飲食店向けにマイクロバーコードリーダーを配布し、カタログをタッチ操作するだけで毎日の食材が発注できるという、「ピポ」によく似たシステムだった。

株式会社ネオセルラー設立――拓央君が社長に

マイクロバーコードの普及へ向け、悪戦苦闘を続けていた頃、大きな市場を夢見て奮闘する拓央君に、強い共感を寄せてくださったのが、常包浩司さんと大前研一さん。

常包さんは凸版印刷の部長として、大阪で新規事業開拓を手掛けておられた。印刷物がインターネットのポータルサイトとして欠かせないツールになる点に注目していただき、具体的にいくつかの応用例を検討、試行していただいていた。

一方、東京でマイクロバーコードに注目していたのが大前研一さん。大前さんは著書も多い有名人なのでご存じの人が多いと思うが、経営だけでなく政治の分野にも強い著名なコンサルタントであり起業家。また、ビジネスの世界で活躍できる人材の育成を目指すビジネス・ブレークスルー大学（ＢＢＴ大学）の創始者にして学長という顔も持っておられる。

平成12年（2000年）　本社を訪問してくださった大前さん

我が国でインターネットの普及が本格化する中、大前さんは、ネットを通じた生鮮食品などの販売が主婦向けの大きなコンテンツになると見ておられた。折しもそこに、ネオレックスがマイクロバーコードを提案していたことになる。

スマートフォンが登場するずっと前、まだＱＲコードも普及していない時代であり、携帯電話どころかパソコンですらネットアクセスは今では想像しにくいほど不便だった。

マイクロバーコードなら、パソコンや携帯電話につないだリーダーでチラシのバーコードを読み取るだけで、簡単に買いたい商品の注文ができる。大前さんは、これが今後の必須アイテムになると関心を寄せてくださった。

かくしてマイクロバーコードは、大前さんに「日本発世界初」と謳っていただき、高い評価を受けることとなった。そして、初年度100万台、3年で1000万台というマイクロバーコードリーダーの普及を目指す、大々的な事業展開が決まったのである。

ビジネス界の巨匠・大前さんの力は絶大で、瞬く間に主婦層をターゲットにしたeコマース企業としてエブリデイ・ドット・コムが設立され、同社とネオレックスの共同出資により、ネオセルラーが設立されることとなった。

小学館さん、凸版印刷さんからの出資も受けたネオセルラーは、eコマースシステムの開発と運営を担当する会社として始動、拓央君がネオレックスを退社し、社長として就任した。

これが平成12年（2000年）6月のこと。

ネオセルラー社設立に当たり、マイクロバーコードリーダーを製造している香港のIDT社に大前さんをご案内した。当時、ネオレックスは、リモコンや、パソコン・携帯電話接続用など、数機種のマイクロバーコードリーダーの製造を同社に委託していた。その本社と深圳の工場を訪問したのである。

このeコマースシステムのプロジェクトは、まさに新時代の新しい文化を創造しようとする機運で盛り上がった。ネオセルラーの社長となった拓央君は、この巨大プロジェクトを進めるための陣容として、１００人規模の開発技術者の参加が必要との構想を抱き、神楽坂に新たな事務所を確保した。

ネオセルラーから携帯端末用「Cタッチi」を受注

ネオセルラーの設立に参加してくれた一人が、当時ＮＥＣのシステムエンジニアだった佐藤満さん。拓央君と大学の同期であった。

大企業のＳＥだった彼が、モバイルソリューションのシステム企画・開発を担当するパートナーとして起業に参加してくれたことで、拓央社長も非常に心強かったのではないかと思う。

そして、ネオセルラーからネオレックスに、ＰＣ接続用マイクロバーコードリーダー「Ｃタッチｆｏｒ ＰＣ」と、携帯電話接続用のマイクロバーコードリーダー「Ｃタッチｉ」、計2万台が初回ロットとして発注され、量産に取り掛かった。

ＰＣ接続用のＵＳＢタイプはすでに量産実績があったので、製品の成型色を黒から白に変え、さらにパッケージデザインを変更して量産した。

携帯電話用の「Ｃタッチｉ」は、新規企画商品でゼロからの開発だった。

デザインの担当をしていただいたのは大倉冨美雄さん（ＮＰＯ日本デザイン協会理事

長）、回路設計は裕樹君が担当した。レンズ設計は、香港でIDT社の若い技術者が担当した。この技術屋さんは、NASAから転職してきたとのことだったが、何しろ主張が激しかったのが強く印象に残っている。

マイクロバーコードリーダーのキモであるシリンドリカルレンズは、もともと市場には存在しなかったようで、名古屋でガラス棒をシリンダー状にカットして深圳へ送った。

中国・深圳市の工場での製造作業には、水野君も参加した。現地での最も大きな課題は防塵。精密光学機器であることを伝えて製造を委託したつもりだったが、工場の窓は隙間だらけ。水野君が、その隙間をふさいでホコリの侵入を防ぐ必要があると、現地の責任者に強く要求していたことが思い出される。

英語は話さない水野君だったが、現場での迫力は一番。十分に意思が伝わっていた。大勢の女性工員さんたちが注目する中で作業が続いた。

一方、ネオセルラーでは、名古屋のネオレックス技術陣と連携して、佐藤さんがシステ

平成13年（2001年） マイクロバーコードの利用を進めた量産製品「Cタッチfor PC」と「Cタッチi」

ム設計を進めてくれた。このシステムは、大規模システムとしてゆるぎない性能を発揮するもので、後に勤怠管理システム「バイバイ タイムカード」の展開にも役立つ、ネオレックスの大きな財産となった。

なお、佐藤さんは、このプロジェクトの後、Ｙａｈｏｏ！の事業責任者やＬＯＨＡＣＯの立ち上げを担い、現在はＥＣデパートメントを目指すＩＴ企業の代表を務め、その実力をいかんなく発揮されている。ちなみに、奥様はネオセルラーのメンバーだった女性である。

次男・研司君の入社――会社の苦境を知りながら

初仕事はコテコテ異業種の金型設計

拓央君がネオセルラーの社長となった直後、弟の研司君が、外資系ＩＴコンサルティング会社からネオレックスに転職してきた。

そもそもは拓央君と私から声をかけた結果であるが、学生時代から、マネージャーを通じて会社の苦境を知っていた研司君は、私たち親の苦労も思い、拓央君がネオレックスから抜けた分まで助けになろうと、ネオレックスに来る決断をしてくれたものと思う。

私は彼を、ネオレックスの社長室室長として迎えた。

研司君がネオレックスに入社した頃は、ネオセルラーから受注したCタッチｉの量産設計の時期。早速、Cタッチｉのケース成型用の金型製造で、たくさんのやりとりが発生した。

香港から送られてくる詳細な図面データをＰＣで展開し、３Ｄ空間を頭に描きながら細かい部品と空間の取り合い、噛み合わせや可動部分などを細かくチェックする。そうして金型の修正依頼をするのだが、その香港とのやりとりがすべて英語だった。

そのため当初は、研司君の英語力に主に期待して現場に加わってもらったのだが、いつしか金型の構造そのものの議論に参加するようになり、いつの間にか構造設計の主体となってしまっていた。

文系大学出身の研司君にとっては異分野の仕事であったが、緻密で面倒なこの理系的作業にも、楽しんで取り組んでくれた。それはまた、父親である私との人生初の真剣な共同作業でもあったわけだが、うまく息も合っていたと思う。

こうして活動を開始した研司君は、ネオレックスの組織、人材、商材、事業計画など、あらゆる点に関心を持って取り組んだが、特に財務内容については驚愕し、「厳しいとは聞いていたが、これほどとは思わなかった」と漏らしていた。

早速、社内の状況把握に努めながら、名古屋市など公的機関の融資保証申請書、銀行融資の申請書類、ベンチャーキャピタルへの事業計画書などの作成を進め、それらと並行して、「ピポ」の営業活動などに取り組んだ。

兄弟揃い踏み、ネオレックスの新体制

ネオセルラー合併

ネオセルラーは多くの人の期待を集めながら、その期待に応えることができなかった。残念ながら、3年を経て事業を停止することになったため、ネオレックスと合併する形で事態を収束させることにした。

撤退の話し合いのため、マネージャーとともに麹町にあったエブリデイ・ドット・コム社に柴田取締役をお訪ねし、出資を受けた資金の取り扱いなどを相談させていただいた。温厚で思慮深く、かつ明快な柴田さんと長く話し込んだ後、千鳥ヶ淵にある英国大使館の横の静かな道を通って帰ったことを覚えている。

この時点で受けていたベンチャーキャピタルからの投資や銀行借入の返済には、その後10年以上かかったが、誠に得難い経験と実績として、後の経営の教訓となっている。

大前研一さんには、拓央君を高く評価いただいたことや、ネオレックスに期待をかけていただいたことに、心から感謝申し上げるとともに、我が力不足をお詫びしたい気持ちである。今も拓央君が講演会などでお目にかかる機会があると、「親父元気か？」とお尋ねいただけるそうで、ありがたく嬉しく思っている。

57歳から32歳へバトンを渡す――「意見は言うが主張はしない」宣言

ネオセルラーの成果はさまざまある。

撤退には至ったものの貴重な経験を積み、ノウハウの蓄積が進んだこと。さらに、多くの資金を調達し、ネオレックスもそのおかげで生き延びることができた。調達した銀行融資は月次で返済すればよかったし、出資をしていただいたベンチャーキャピタルや会社からは、時間をかけて株の買い戻しをすることができた。

平成15年（２００３年）10月、ネオレックスがネオセルラーを吸収合併したのを機に、ネオレックスでは、社長を務めていた私が会長に、ネオセルラーから戻ってきた拓央君が社長になった。私が会長職に退いたのは、拓央君が32歳、私が57歳の時である。

かなり早期の世代交代だったとは思うが、代表取締役には私がそのまま留まったので、銀行から借入をする際などにサインをするのは、まだ私の役割だった。

私が会社を興し独立したのは、「自分の考えで会社を運営、采配できるから」。その思いで優秀なメンバーを確保し、それまで会社を維持してきた。

これを私とマネージャーの功績とするなら、そうして築いた「人的財産」を生かし、発展させるのは拓央君と研司君、この若い二人を置いてほかにないとの思いだった。

そこで、この社長権限委譲に伴って研司君が副社長となり、その後、現在のCEOに就任することになる。

その後、拓央社長と研司CEOは、よく協力して業績を伸ばし、着々と新生ネオレックスの基礎を創り、発展させていく。そうした状況を見て頼もしく思う限りだったが、いかんせん昔からの習性で、どうしても主張をしてしまう。

権限委譲後3年経って、私は「意見は言うが主張はしない」宣言をした。それでも、気づけばドスを利かせた声でブツブツ主張をしてしまっている時期が長く続いた。

問題解決はモラル、ルール、構造の3段階で

家族や会社などの人間関係では、いろいろな行き違いや問題が生じる。そんなときの私の解決方法をここで述べておきたい。
第一段階【まずモラル】
モラルや常識を知ってもらう。「それマナー違反でしょう?」それでだめなら、
第二段階【ルール】

説明をしたり、文章化して掲示したりする。それでもだめなら、

第三段階【構造】

そもそもそういう問題が発生しないような構造にしてしまう。

会長職に退いてからも、経営会議で「意見」と言いながら主張がやめられない。そのことを痛く自覚していた私は、遂に趣味のヨットで遠洋航海に出ることにした。

まさに、問題解決法の第三段階。ルールを超えて、自ら経営に口を出せない構造を築こうとしたわけだ。

平成22年（2010年）、思い立った最初の年は、4月から6カ月間、愛艇を駆って日本一周。その私の不在中、マネージャーと二人の息子、そしてメンバーの協力もあって、社業に支障が出ることはなかった。

物理的に会社と距離を置いて、構造から変えてしまおうとした試みは、思惑どおりに、私の独断と思い込みの主張を抑え込む効果があった。

還暦ヨットライフは「シングルで行こう！」

学生時代、ヨット部に所属していたことは前述のとおり。その後もヨットは、仕事人間の私にとってほぼ唯一の趣味である。

結婚して2年ほどした頃のこと。名古屋の繁華街・栄にあった中村百貨店（今の名古屋栄三越）で、ヨットが展示販売されていた。艇長4・5メートルのマイクロクルーザー。90万円のこの艇を、仲間3人で30万円ずつ出し合って購入した。

それ以来、「どうにも小さい」とか、「もっと安全に」などと言って、中古艇を何度か買い替えた。一度、融資を依頼した人に「ヨットがあるでしょう、まずそれを売ってから」と言われ、即、売りに出したこともあったが、幸いにも売れなかった。

そうして長年ともにあったヨットだが、仕事優先の結果、45年余り前の1号艇購入から60歳になるまで、最初の5年間を除くとほとんど乗れなかった。年末や夏休みに孫が来たとき、係留したままの艇上や桟橋で遊んだり、港の外までチョイ出ししたりする程度であった。

60歳で「意見は言うが主張はしない宣言」をした後、ヨットに精を出そうと思い立ち、時間をつくるが、今度は仲間が揃わない。旧知のヨットマンを誘っても断られることが多く、少々物足りぬ寂しい思いをしていた。

そうして還暦を過ぎた頃、考えた。「そうだ、シングルで行こう！」

それまでは数人でヨットを操る前提で考えていたが、自分一人だけなら思い立ったときにいつでも海に出られる。

もともとなんでも自分でやりたい性格もあり、また、洋上で起こりうる障害に対して安全面からできることは、すべて自ら取り組んでいた。木工、金属加工、電気、水道、プロパン、電子機器、無線、それらは楽しみの一つでもあった。

それから我が艇の整備・運航方針を「いつでも出られる、どこへも行ける、心配ない」とした。

具体的には、力の要るウインチはギアドモーターを購入して電動ウインチを自作。電動工具や端材なども考えられる限りすべて揃えた。

電子機器に関しては、レーダー、AIS（船舶自動識別装置）、3Dソナー、GPS、オートパイロットから、国際VHF無線機まで装備した。この無線を使うため、英語の聞き取り問題には実に苦労したが国際免許も取得した。

毎年春に遠洋航海

「いつでも出られる、どこへも行ける、心配ない」を実行するため、自分なりの決め事もした。
①マリーナへ行ったときは「必ず出航する」
雨の日はもちろん、かなりの強風でも、雪の日でも出たことがある。洋上、特に日本近海は天候不順だから、いつ荒天に襲われてもいいようにしなければならない（外国のセーラーからも、日本近海を乗りきればベテランと言われている）。従って、「風が強いから出

ない」はあり得ない。

②強風なら「ヒーブツーをする」

強風の日に洋上に出たら、荒天を凌ぐ航法（ヒーブツー）の練習。例えば、10メートル以上吹かれたら、セールをごく小さくしてはらませ、逆舵として波に任せるなど。

③毎回必ず「アンカリングする（イカリを下ろして停泊する）」

通常のアンカリングでもそうだが、いざというときも必ず走錨（イカリを下したまま流されてしまうこと）するものだという思い。その演習である。

平成22年（２０１０年）3月、日本一周に出発した。初めての長期航海に当たって途中まで一緒に乗ってくれたのは、以前に金沢港で知り合った金城さん。仕事の関係で能登へ車で行ったとき、港に立ち寄ったのがきっかけだった。フェリーの船長さんだった金城さんから、存分に航海術やシーマンシップを教えてもらい、最高の航海となった。

長い航海をする際、多くのヨットマンは次の港まで半日、時に日暮れ前までに行ける距離を一つのレグ（コースの区切り）として寄港地を巡っていくが、私の場合は、各レグを「2昼夜３００マイル」と設定。海上での1マイル（海里）は1・852キロなので、３００マイルは約５５５キロに当たる。三重県志摩から、大洗、八戸、函館、小樽、本荘、七尾、十六島、ハウステンボス、沖縄、種子島、室津、那智、志摩と回るハイスピードな周航だ。

もちろん霧や強風などの荒天も多く、特に東北、北海道では出航を見合わせて長く港に滞在することもあったが、実質22日半で日本を一周したことになる。

その後数年、毎年春に遠洋航海に出るようになった。

●平成23年（2011年）、小笠原経由、南大東島、沖縄へのシングルハンド（一人だけで航海）。

一人で小笠原へ着いた際、仲間からの電話で「えっ！　一人で行ったの？　駒井さん、冒険家だねえ」と言われ、悪い気はしなかった。大学時代にヨット部の先輩に教えられたヨットレースの心得「大胆緻密」は、私が好きな言葉の一つ。

平成22年（2010年）～平成26年（2014年）　自費出版と自作出版した航海記1～4、航海記4の表紙は台湾の基隆レース後の家族

●平成24年（2012年）、南大東島、石垣島、西表島、台湾の基隆（レース）と瀬戸内海巡航。

●平成25年（2013年）、家族全員で台湾基隆―石垣島国際ヨットレース参加と、知人のヨットで沖縄から台湾、フィリピン、マレーシアへの航海。

これらの経験は『つぶやき航海記』（刊：e

ブックランド）1～4として本にまとめた。2冊目以降は自作出版。在庫多数で家の中を陣取っており、少々困った状態が続いている。

究極のITサービス「バイバイタイムカード」

ASP方式――機材を売らないビジネス

平成12年（2000年）頃のシステムビジネスは、開発した受発注や勤怠管理などの業務システムを、高性能パソコンに組み込み、それと連携して動作する専用端末とともに販売し、お客様先に納品するのが普通だった。

高性能パソコンはサーバーの役割を果たす精密機械であり、取り扱いに注意が必要だ。しかし納入先によっては、事務机の下に置かれてホコリまみれになるなど、適切に扱われないこともあった。

あるお客様では、掃除のおばちゃんが電源を抜き、突然のシステム停止で大騒ぎになったことがある。こうした取り扱いなどでパソコンが故障すると、修理や入れ替えが必要になる。パソコンといっても業務用の高性能なものなので、時には数百万円になることも。

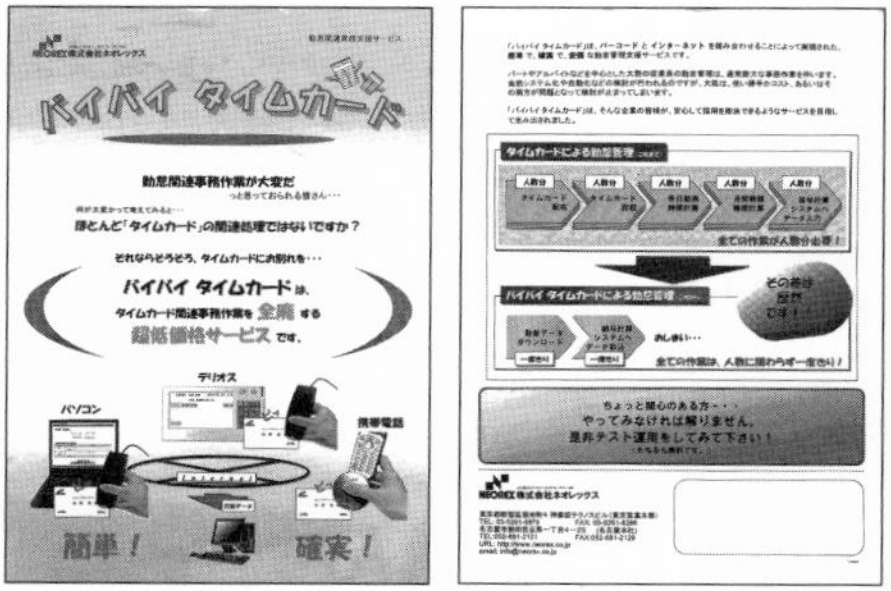

平成15年（2003年） ASPシステム誕生前の「バイバイタイムカード」

そのうえ、導入して何年か経てば、Ｗｉｎｄｏｗｓの大幅アップデートなどに対応して、システムや機器の更新も必要になる。

故障や更新のたびにお客様から苦言を受けることも多く、心から喜ばれ褒められるシステムを提供するのは、なかなか至難の業であった。しかもネオレックスの技術陣は、パソコンの心臓であるＣＰＵの動きを考え、その限界まで性能を引き出す姿勢でユーザーニーズに応えようとする。勢い高度で複雑なシステムになり、顧客から見て必ずしもリーズナブルとはいえないものになりがちでもあった。

「優秀なメンバーがみんなで一生懸命創っているのに喜ばれないのはなぜか?」こうした疑問に向き合った研司君が考え、最終的に採用したのがＡＳＰ（Application Service Provider）方式だった。

ＡＳＰ方式とは、システムを個別に販売・納入するのではなく、ネオレックスがインターネット上に一つの大きなサーバーシステムを構築し、皆さんにインターネット経由でこのシステムを使ってもらう方式だ。

この方式なら、ハードを知ってソフトを創るネオレックスの技術力をそのサーバーに集約でき、すべてのユーザーがいつでも最新の技術を利用できる。お客様が高性能パソコンを手元に置いて面倒を見る必要もない。これぞ究極のＩＴサービスの姿だ。

ＡＳＰ方式は、１９９０年代の終わりに画期的な新時代のシステムとして話題となったが、数年で下火になっていたもの。しかしその原因は、高速な常時接続回線がまだ普及していなかったことにある。平成15年（２００３年）当時、日本では高速なインターネット通信網が急激に普及をはじめていた。今こそＡＳＰ方式。そう考えての決断だったという。ちなみにこの方式はその後、ＳａａＳ（Software as a Service）という名を経て、今では「クラウド」と呼ばれている。

ＡＳＰ型勤怠管理システム「バイバイ タイムカード」の誕生

ＡＳＰ方式でどんな用途のシステムを提供するのか。選ばれたのは、タイムカードの代わりとなる「勤怠管理システム」だ。

研司君は、この勤怠管理システムを「バイバイ タイムカード」と名付け、ロゴマークを創り、商標登録を試みるなど、事業としての立ち上げに突き進んでいくことになる。

苦労を重ねて受発注システムを販売する中でユーザーから得た、勤怠管理のニーズをヒントに、このシステムは誕生した。そしてこれまでの、飲食チェーンなどの特定の「業種」をターゲットとするのではなく、勤怠管理という「業務」に向かうことによって、その市場は何十万倍にも広がることとなった。

発売当初、私も営業の一部を担当した。もともと営業は苦手だが、この画期的なシステムを紹介することが楽しいと思い、主に成約の見込みが薄い遠方の顧客への営業を引き受けた。

画期的とは、すなわち「多くの顧客にとってなじみがない」ということでもある。仕組みを説明してメリットを理解してもらうのに、かなり苦労した。

大阪のある会社で説明をしていたとき、相手の担当の方が、出てきた社長さんに叱り飛ばされたこともある。「毎月お金を払うようなことをするものか！　何を寝ぼけているのだ！」私がそこから叩き出されたことは言うまでもない。

営業方針の大転換、プッシュからプルへ

直接営業に行って話しても、こういった反応が多い中、研司君は広く「バイバイ タイムカード」を知ってもらうために、電話セールスにも挑戦していた。

手分けして、ローラー式に数千件もの電話をかける戦術だったが、「勤怠……」などと話しただけで電話を切られることも多く、まったく成果にはつながらなかった。

悩んだ末に彼は、勤怠管理システムは売り込んでも売れないとの判断に至る。つまり、「勤怠管理のニーズは、すべての会社にあるはずなのに、売れないのはなぜだろう？」
「勤怠管理はすべての会社が行っている。それはつまり、すべての会社が今、勤怠を管理できているということ。だから闇雲に当たっても、勤怠管理システムのニーズを持つ会社にはなかなか出合えない。しかし世の中には、規模の拡大や体制変更などで、今まさに勤怠管理を改善しようとしている会社も無数にあるはず。そういう人たちを自分たちで探すのではなく、こちらを見つけてもらうようにすべきだ」と気づいたのである。

かくして研司君は、電話などでこちらから働きかける「プッシュ営業」を全面的に廃止し、代わりにバイバイ タイムカードのホームページの強化に一人邁進した。ニーズを持つ人がネットで検索をするときに、バイバイ タイムカードにたどり着くように。今ではおなじみのＳＥＯ（検索エンジン最適化）だが、当時はまだほとんど知られていない取り組みだった。

そうした工夫と戦略で成果を上げた経緯から、現在のネオレックスでは、プッシュ営業は一切しないスタイルが確立している。

その後、実績とシステムの機能を評価していただき、多くの会社さん、団体さんでバイバイ タイムカードのご利用が広がるとともに、コンサルティング会社や給与計算会社、ＩＴ商社などからの引き合いも多くいただくようになった。

顧客への営業的な訪問は、当初は主に研司君が担当していたが、現在は拓央社長が一人で担当している。持ち前の営業センスを生かし、ＩＴ機器を駆使した拓央君のプレゼンを、必要に応じてほかのメンバーがサポートする。

最近ではオンラインミーティングも普及してきたが、ネオレックスでは早期から、名古屋にいるコンサルタントメンバーや、時には開発担当が、社長の営業先とネット接続してプレゼンに参加する体制を創り上げていた。

ここでもソフトとハードに強いネオレックスマインドが発揮されており、心強いところ。ただ一つ私が心配しているのは、拓央君が重い荷物のせいで、私も経験した腰痛を発症するリスクである。

飛躍につながった巨大受注――20社以上のコンペに勝つ

バイバイ タイムカードの提供開始から2年が経った頃、大手コンサルティング会社を経由して、西武グループさんの勤怠管理システムを構築するコンペの話が舞い込んできた。

西武鉄道、プリンスホテルなど、異なる業種に従事する総数3万人以上の社員さんが対象となる、当時のネオレックスにとっては恐ろしく大規模な勤怠管理システムだ。コンペには、国内20社以上の企業が参加した。名だたる大企業が競う中、ネオレックスは、コンサルとシステム構築にも強い大企業N社や、時間管理機器の一大ブランドであるA社とともに最終コンペまで残る。

そして最後に、その頃まだ20人ほどしかメンバーがいなかったネオレックスが、勤怠管理システムの発注先に選定いただいたのだった。

提案活動の終盤、連日のように仕様の問い合わせや、条件を変えての再見積もり依頼があった。ほとんどの回答期限は翌日、時には数時間後。1週間ほど、ネオレックスは全社体制でこれに臨んだ。社内の技術メンバーの検討結果をまとめ、資料にして決められた時間までにきっちり全部回答。この姿勢や、その回答内容をコンサルティング会社と西武グループの皆さんが評価し、英断してくれたものと聞いた。

当時、私の目の前で、刻限ぎりぎりまで技術メンバーと協議し、回答書を作成、送信した後に、安堵のため息を漏らしていた研司君の様子が今も目に浮かぶ。

彼は持ち前の才能をプレゼンにも発揮、「他社が十人以上で最終プレゼンに臨んだのに対して、たった一人で元気よく楽しげにプレゼンを行ったことに驚いた」と、後に西武グループの方から伺った。

いくつものエピソードに彩られた記憶に残るコンペだったが、その成果は、両中村君こと裕樹君・健児君の技術力と、研司君の集中パワーに負うところ大であった。

ネオセルラーでのノウハウが結実したシステム

コンサルティング会社と西武グループさんから評価をいただいたもう一つの大きな理由は、全国に展開されている多数の拠点のデータを1カ所にまとめて処理できるシステムを提案したからだった。

ネオセルラー時代の拓央君とネオレックスは、大前さんのプロジェクトで、「マイクロバーコードリーダーを初年度100万台、3年後に1000万台販売して新しいインフラを創る」という構想で巨大なサーバーの設計を行っていた。そのノウハウがここで生きた。

平成18年（2006年）、ネットやネットサービスはまだ発展途上で、iPhoneも生まれていない時代。全国600カ所以上、3万人以上の処理を1台のサーバーに集約して実現するという提案を出したのは、ネオレックスだけだったという。

西武さんでの受注を機に、バイバイ タイムカードの機能はさらに増強されることになった。システムの母体である、一番重要なサーバーを置く場所としては、西武さんの紹介もあり、新たにNTT東日本のデータセンターを選んだ。

ここは災害時等にNTT本社の代替となる拠点だと聞き、国内最高レベルの堅牢さがあると思った。実際に、東日本大震災の時も不安なく運用できた。

西武グループさんの最後の条件は、大手企業を通すことだったが、研司君の前職時代の先輩を通じて伊藤忠テクノサイエンスさん（通称CTC、現・伊藤忠テクノソリューションズ）に依頼することができた。

システムの運用が始まる頃、本当に大丈夫かと案じた西武さんから依頼され、CTCの技術者の方が数人、名古屋へ指導に来られたが、「問題はまったくなかった、むしろ教えてほしいほどだった」と報告していただけたと聞いている。

システム導入の難しさとは

コンピュータシステムの導入がうまくいく確率は何％ぐらいであろう？

ひょっとすると100％のケースで、不満足な顧客がいるのでは？　私の経験と知識の範囲では、あえてそう言ってもよいのではないかと思う。

システムの導入には、顧客の側でもあらかじめ想定できないような問題が多々潜んでいる。そもそも中には、途中で構築を断念したり、とうとう出来上がったシステムが結局一度も実用されずに放置されたりするケースもあると思う。そして、たとえしっかりと実用されるシステムを無事に稼働させられたとしても、さまざまな課題や不満が残ることが多く、すべての顧客に「１００％満足」と言ってもらえるシステムを創ることは非常に困難だ。

そうした中で、システムを提供する側は予測に基づき、なんとか仕様をまとめて見積りを提出し受注する。複雑なシステムであるほど、システムの構築中や導入後に、仕様に合わない問題が生じやすいことは容易に想像できる。

実際にそうした事態が起こったとき、その問題を仕様変更等の追加開発で解決したら、提供側は当然「別料金」と考えたい。だが発注側としては、その都度予算を追加するということはなかなかできない。

また、仮に仕様書どおりにシステムが出来上がったとしても、使ってみてしばらく経てば、当然「こうしたい」「このほうがいい」といった追加や改良の希望も出てくる。だが、あらかじめそんな予算が準備されていることもあまりない。

そして双方がやけくそ気味になり、「マッ、いいか！」的な判断が積み重ねられるということも、しばしば起こるのではないだろうか。

システム開発というのは、往々にしてそういう事態が起こりやすい仕事。満足なコンピュータシステムを創ることは誠に難しい。

ネオレックスは、ご満足いただくまでやり尽くす

だが、ネオレックスが提供する勤怠管理システム「バイバイ タイムカード」では、そうした問題は発生しない。

なぜか?

第一に、法律的知識を持つとともに、多くの事例を見てきた当社のコンサルタントが、引き合いをいただいた会社ごとに勤怠ルールや希望を詳細に伺い、特殊な要望についてもできるだけ費用に影響しないように配慮しつつ、仕様を策定する。

第二に、プロトタイプを実際に触っていただいた上で、「もっとこうしたい」「ここはこうしてほしい」といった要望をもらって、これを手直しすることで完成させるやり方をする。

第三に、こうして新しいシステムが完成したら、1カ月間、それまでの方式と並行運用をして、実際に運用して確かめていただく。費用をいただくのは、システムがちゃんと使えるようになり、納得いただいてからだ。

紙の仕様書を見せられて「このとおり作っていいですか?」と迫られた人事・総務の人が正しい判断をすることは難しい。そのうえ、仕様書承認後は、その仕様が正しいかどう

かではなく、システムが仕様書どおり出来ているかが議論の対象となり、「仕様書を変えるなら別見積り」ということが起こってくる。

だが、ネオレックスのように、実際に使う画面を用意して操作して確かめてもらえば、どこをどうすべきか正しく判断してもらえる。

こうした手順なので、不満足という事態は生じない。もちろんそのぶん手はかかるが、これがお客様の要望を実現する一番の近道だと考え、こうしたやり方を続けている。

バイバイ タイムカードを導入していただく際は、ネオレックスの目先の負担や利益はあまり重視せず、本当に役立つものを提供することを最重視している。これは、長期間利用いただき、月額利用料の蓄積で利益を生み出していく事業だから。導入時のネオレックスの負担が多少大きくなっても、それによってお客様が末永くバイバイ タイムカードを利用してくださるならば、いつか利益は出るという発想である。

レスポンスタイムは驚異の0・02秒

一般的に挙げられる「バイバイ タイムカード」の特徴をまとめておこう。

①打刻の選択肢が豊富

例えば、オフィスの入り口にあるカードリーダーにカードをかざすだけで打刻できたり、オフィスで自分用のパソコンを立ち上げた瞬間を就業開始の時刻にできたりするほか、指紋認証・静脈認証による本人確認や、運転手さんのアルコール検知機能付き打刻もある。

出張先などから携帯電話やスマホでも打刻ができるなど、十種類を超える打刻方式から選択、組み合わせをして利用できる。

そのうえ、勤務開始と終了だけではなく、他部門の応援開始・終了も記録できるなど、ユーザーの多様なニーズに応えられるようになっている。

②基本的に、どんな要求にもお応えする

もちろん単純には実現できないご要望もあるが、実現できる方策を一緒に考えさせていただく。その要求の背景や最終的な目的を詳しく伺うなどして、実績あるたくさんの機能の設定を変えたり、組み合わせたりしてご納得のいく仕様とさせていただいている。

③安心して使っていただける安定性・信頼性がある

お客様の大事なデータを預かっているので、打刻記録をロストした場合を考えると恐ろしいが、これまで一件も、そうしたロストデータはない。

④レスポンスタイムが速く、快適に使っていただける

世の中には、動作速度が遅くイライラさせられるシステムも多い。一部のシステムでは「そうしたもの」として諦められている感じもする。だが、バイバイ タイムカードの平均レスポンスタイムは0・02秒。ダントツのスピードで快適に使っていただける。

高速処理の秘密の一端は「コンパイルされたマシン語とCPUの挙動（実行サイクル数）まで意識した高速化プログラミング」として、バイバイ タイムカードのブログで紹介している。

ネオレックスの強みが生かされたビジネス

バイバイ タイムカードが採用したASP方式は、前述したように今では「クラウド」と呼ばれるようになり、世界的な規模で普及が進んでいる。

こちらも前述したように、バイバイ タイムカード発売当初は、その機能を説明して理解いただくことも難しく、営業に苦労したものだが、今では私自身、導入のメリットを落ち着いてこんなふうに説明できると思う。

①初期費用が抑えられる
②自社でシステムの面倒を見る必要がない

③高い信頼性がある
④多拠点であっても低コストで総合管理できる
⑤システム更新が不要

現在は、バイバイ タイムカードと同様にクラウドで提供される勤怠管理システムがたくさん生まれている。しかし他社の多くのシステムは、機能は汎用的で、１００人未満の比較的小規模な企業を主な対象としている。１０００人以上、１万人以上といった大企業を主なユーザーとし、企業ごとの複雑なニーズに徹底的に対応しているバイバイ タイムカードは、特異な存在となっている。

大規模、複雑なシステムを、高い安定性を維持してクラウドで提供する。これはなかなか難しい。そのためにこの分野、コンピュータの構造まで考え、その最高能力を引き出してサーバーを構築しているネオレックスの独壇場となると考えていて、他社が、バイバイ タイムカードのようなシステムを実現するのは、今後も容易ではないはずだと、私は勝手に思っている。

マネされるＩＴ企業を目指すネオレックス

昔、当社の武井君が入社して間がない頃、私に同行して三重県の引き合い先へバイバイタイムカードの説明に行ったことがある。その帰り、車中で武井君に「バイバイ タイムカード事業は発展する。この事業のトップを目指せ！」と話したことを覚えている。

その武井君、今では「日本トップレベルの勤怠管理システムの専門家」と言えるコンサルタントに成長し、彼に続いた小島君とともに現在のコンサルタント陣のツートップとなっている。

創業者である私とマネージャー、創業期以来の裕樹君と健児君の技術ツートップ、そして現在経営を担当している拓央社長と研司CEO兄弟。ネオレックスではこうした「ツートップ体制」も大きな特徴と言えるかもしれない。

結果としてそうなっているのは、一人の押し付けで動く集団ではなく、対等なメンバー同士の共同体として発展してきたからではないか。そして、それが可能だったのは、すべてのメンバーがまじめで優秀、前向きの姿勢で頑張る仲間だったからだと思っている。

少し口はばったい言い方ではあるが、心の中では、ネオレックスは「マネされる、究極のＩＴサービス企業」を目指している。

ネオレックスのベンチャースピリット

世界97カ国、26万人以上が評価する「MyStats」

研司CEOは30代半ばの平成22年（2010年）頃から、手帳に15分単位の作業記録をつけて自分の行動を管理していた。

バイバイ タイムカード事業がそろそろ軌道に乗り、そろそろ新しいことを……というとき、会長と社長から「それアプリにしたらどう」と声を掛けた。

そうしたことがきっかけで、CEOが自ら企画・デザイン、技術陣が開発をしてiPhone用アプリとしてリリースした。

これが平成23年（2011年）に提供を開始した「MyStats」。

「世界で役立ってほしい」とのCEOの強い思いから、日本語版だけでなく英語版も同時にリリースした。

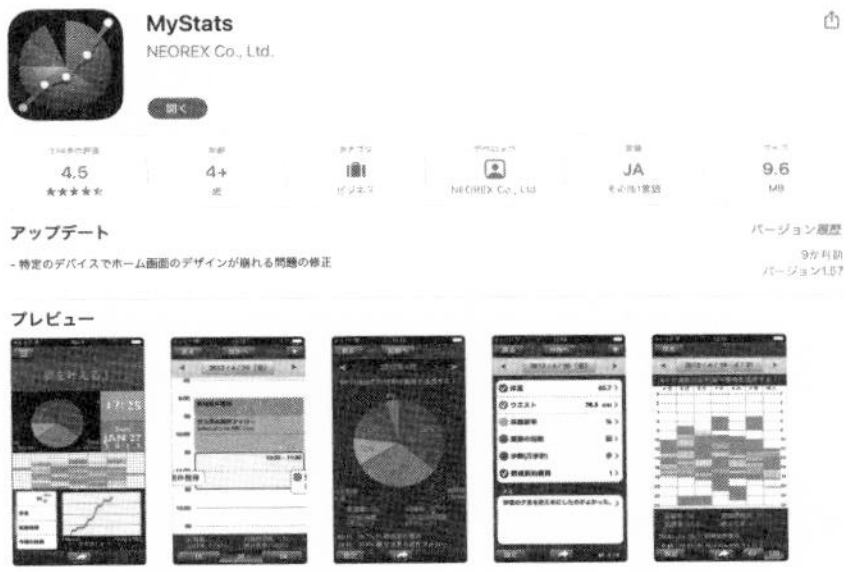

平成23年（2011年） ネオレックスの力を見せよう！
初の自社開発iPhoneアプリ「MyStats」

このソフトは、すでに開発が完了して古いアプリとなっているが、現在もほとんど絶賛と言えるレビューが続いている。利用者負担は無料だが、これは「頑張る人を応援する」ネオレックスポリシーにも合致している。

100年の歴史がある機器の再発明に挑戦「タブレット タイムレコーダー」

平成27年（2015年）にリリースした「タブレット タイムレコーダー」は、誰もが知っている昔ながらのタイムレコーダーの機能を見直し、再発明をしたもの。

ポータルサイトがネットにアクセスする「入り口」なら、タイムレコーダーは社員の皆さんにとって毎日の仕事の「入り口」と言える。

毎日誰もがタイムレコーダーの前に立つのだから、打刻だけでなく、そこに働く社員さんたちにとって役立つさまざまな機能を提供しよう。さらには毎日、「打刻する人を笑顔にしよう」とのこだわりを込めた。

出勤時、退勤時に写真を撮る。

当初、私とマネージャーは「毎朝毎晩、写真を撮る？　そんなの誰もしないよ⁉」と思い、オプション機能かと思っていた。

すると、その機能は標準装備で、外すことはできないとのこと。

ところが、実際に機能を搭載してみると、大好評。例えばネオレックスにおいても、毎日朝と晩に、メンバー全員の顔写真が撮影されるようになった。

毎朝、出勤する人を笑顔にする！

そうなるとみんなノリがよく、出退勤がたまたま同時になった仲間と一緒に撮ったり、クリスマスにサンタさんの帽子をかぶって打刻したりと、すっかり「遊び」感覚で定着。いつからか「素敵写真セレクション」が毎月発表されるまでになって、出退勤時の笑顔の記録が社内で習慣化した。

何人かのメンバーは、会社から自宅の奥さんやお母さんなどにも、出退勤時の写真を自動送信メールで送っているという。

また聞くところによると、タブレット タイムレコーダーを導入いただいた塾などでも、子どもたちが登下塾時の写真をメールで父母に送ったりと、笑顔打刻は幅広い利用が始まっているのだとか。これにはなるほどと感心した。

ほかにもタブレット タイムレコーダーでは、さまざまなユニークな機能が提供されている。

残業時間などのグラフ表示、会社のお知らせ機能、同僚からのビデオメッセージ、そして「今日のご機嫌はどうですか」という問いかけに対し、◎や△ボタンで記録する「ハワユー機能」などなど……。

こうしたアイデアや機能は、日本デザイン振興会の「グッドデザイン賞」や、りそな中小企業振興財団と日刊工業新聞社による「中小企業優秀新技術・新製品賞」などでも評価をいただいている。

ネオレックスは、新しい文化の創造を目指すベンチャー企業。いつまでもこうしたベンチャースピリットを持ち続けていってほしい。

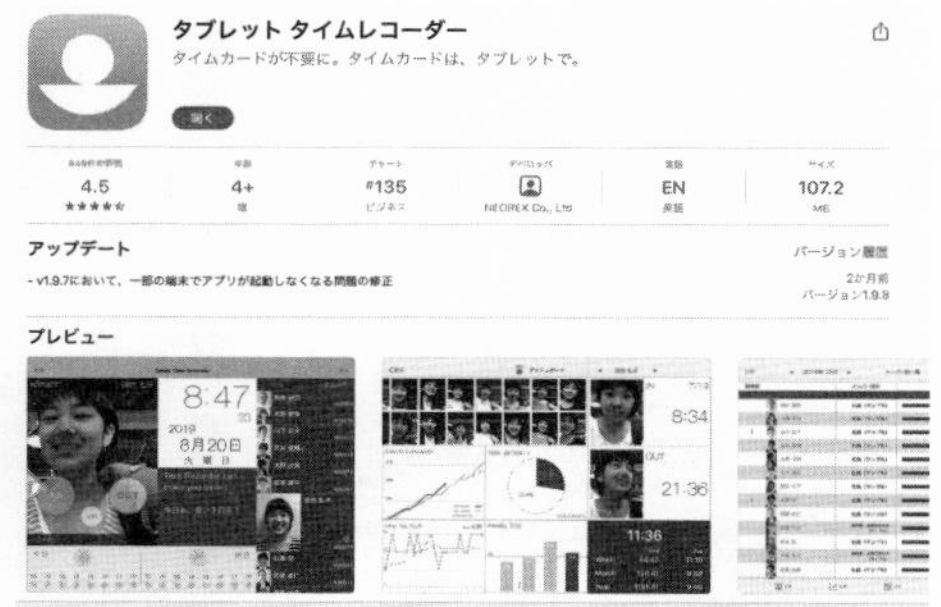

平成27年（2015年） タイムレコーダーを再発明した、「タブレット タイムレコーダー」

第5章

お父さんのように徹夜をしたい

【事業承継】

息子たちそれぞれの大成果

文系理系の枠を超えた二人の才能

この章では、ネオレックスが進めている世代交代、すなわち、私たち夫婦から息子たちへの事業承継について各自の視点から触れておきたい。

まずは、経営を任せた息子たちのこれまでの成果に対する私の評価、というか感想から。

社長の拓央君は、東京学芸大学の教育学部で理系の教育情報科学を専攻し、CEOの研司君は信州大学で文系の西洋史学科を修学したが、卒業後は、それぞれ文系理系の枠を超えた経験を積んでいる。

拓央君は「自社で製品を開発し営業もしている会社」として富士ゼロックスに就職、どちらかといえば文系色の濃い営業職を経験した（将来モノづくりに携わるためにも、肌で市場のニーズを知りたいという動機であったそう）。

一方、研司君は「英語とITを武器にできる」外資系企業で、理系的素養を要するIT系コンサルティングを経験したことになる。

このように大学の履修内容と就職先の仕事が理系、文系「たすき掛け」的に交差したことが、誠にうまい経験の組み合わせになって現在に生かされていると思う。

こうしたことからも、ネオレックスでは新人を採用する際にも文系・理系の区分けを重視していない。この会社に集うメンバーには、大学での文系・理系、履修内容に関係なく、幅広い挑戦の中から楽しい仕事を見つけてもらいたいと思っている。

ピンチを救った新会社設立と、飛躍の礎となった大型受注

息子たちは二人とも、父親である私が身近でコンピュータを活用していたことから、自然とＩＴに興味を抱き、それが仕事で実を結んだものと思う。

それにしても、家族でともに会社を創ってこられたことは、私が生涯の喜びとするところ。

外部の方には時々、「私は頭の配線がちょっと間違っている」と説明する。

そんな私の思い付きや無茶振りに付き合い、一緒に仕事を続けてくれる優秀かつまじめなメンバーとともに、曲がりなりにも15年間、会社を維持してこられたのが、私とマネージャーの功績だとしよう。

こうした人材と技術、マインドを（膨大な借金付きで）引き継いで、ネオレックスを普通の、そして期待される会社へと発展させたのが、二人の息子である。

前章で述べたとおり、二人が入社した頃のネオレックスの経営は非常に厳しかった。し

かし、拓央君が社長を務めた新会社ネオセルラーの設立により、結果として多くの資金調達が可能となった。

そのおかげで会社が存続できたという意味で、拓央君の貢献は大きかった。さらに、ネオセルラー事業で培ったノウハウがバイバイ タイムカードのシステム設計にも生かされた。

そのバイバイ タイムカードの成功は、全社メンバーの総力戦によってもたらされたものだが、大きな転機となった西武グループさんからの大型受注では、研司君の持ち前のプレゼン能力が大いに発揮されたものと思っている。

そのようなわけで、今日ネオレックスがあるのは、彼ら二人の力に負うところが大きかったと、私は本心から思うのである。

その息子たちに、自分たちの目で見てきた両親や会社について、思うところを寄稿してもらった。

私の理不尽な主張で多くの葛藤も味わってきたことと思うが、そこはできれば少なめに、そして、先輩父親創業者としてのいいところを主に紹介してくれることを期待したい。

寄稿：社長　駒井拓央君から

寄稿について

父の出版物への寄稿を依頼され、自分なりにその意義と役割を考えた。

その結果、私からの寄稿では、父との思い出を語りながら、特に以下の2点を読者の皆さんに伝えたいと思う。

1点目は、本人の語らない「父の人柄」について、2点目は、私自身が強く影響を受けた「常識にとらわれず、常に考え、工夫する姿勢」についてだ。

若き日の父と母

はじめに、子どもの頃、両親から聞いた私自身が生まれる前のエピソードについて触れたい。

まずは父が祖母（母方）と食事をしたときのこと、目の前には複数のフォークとナイフが並んだ。

とても素敵なホテルのレストラン、ところが下町育ちの父には、そういった食事の経験がなかった。そこで父は考え、常に祖母の動きを観察し、そのマネをすることで、その場を乗り切ったそうだ。

これはずいぶん小さな頃に父から聞いた二人の結婚前のエピソードだが、とても印象に残っている。


また、新婚の頃、母の作ったカレーライスに、父が一口も手を付けずにいきなりソースをかけた。味も見ずにソースをかけられたショックで母はシクシクと泣き出した（当時はそんなか弱い女性だったらしい）。

父はそれを見て困惑したが、なぜ泣いているのかも、どうしていいのかも分からず、とにかくすごい勢いでカレーを平らげたという。

新婚時代に母を泣かせた話は、ほかにもある。

冬になり、父が学生時代から愛用してきた石油ストーブを出したところ、あまりの汚さを見て、母はまたシクシク泣き出した。すると父は何も言わず、その横で黙々と、ひたすらそのストーブを磨き続けたのだそうだ。結果、まるで新品同様となったそのストーブは、その後10年以上、我が家で愛用されることとなった。

これらはいずれも母から聞いた話だが、けっして器用ではないが愛情深い、父らしいエピソードだと思う。

いかにも父らしい言動

私の名前を付けるとき、父は読んでいた名付けの本の筆者へ手紙でアドバイスを求め、筆者もそれに応えてくれたそうだ。

今どきの本のように「Ｗｅｂでお気軽にご質問ください」などと書かれている時代でもない。でもおそらく父は、よい名前を付けるための手段として、なんのためらいもなく問い合わせをしたのだろう。

幼稚園にも行かないくらいの時期から、私は父に連れられてヨットハーバーへ行っていた。

ある日私が浮桟橋から落水したとき、父はそのまま私をじっと見ていたそうだ。見かねた別の人が海に飛び込み、私を救助してくれた。

父いわく「必ず着けさせているライフジャケットがちゃんと機能するかどうか見ていたのに……」。

確かに、すぐ手の届く、いつでも救助できる場所での落水は、ライフジャケットの効果を確認するのに絶好の機会ではある。だが、そんな父の行動に周りがあきれたことは言うまでもない。

似たようなエピソードをもう一つ。

ある日、祖父（父方）の家で遊んでいた私は、古い家に特有の急な階段で転倒、下のコンクリートのたたきまで転がり落ちた。2階に居た父と祖父はビックリして階段を駆け下りた。

ところが最初に駆け付けた父は、泣き叫ぶ私をまたぎ、その先にあった靴を履いてから私を抱き上げたのだ。これに怒ったのは祖父。「親ならまず子どもだろう！　それを履き物が先なんて信じられない！」

ところが父いわく、「そんな数秒で、何か状況が変わるわけじゃない」。

いずれも物事に動じず、合理的に動く父らしい言動だと思う。

鬼の目にも涙？

一方でこんなこともあった。

高2の時、父からアメリカへのホームステイを勧められた。春に先輩たちが引退し、ラグビー部のキャプテンに就任した直後である。夏の練習に自分がいないという状況は考えられなかったし、いちばん夢中になって取り組んでいた時期でもあった。

ところが、昔から私が高2、弟が中2のタイミングでホームステイに出すと決めていた父は納得しなかった。親子の間でかなり激しい議論もあった。

結局、監督やチームメイトの協力を得て夏季休暇中の練習を休みの後半に集中させ、私は1学期の終業式前に出発することで、このホームステイが実現した。

そんなわけで、喜び勇んで行ったわけではないホームステイだったが、いざ行ってみれば、そこは最高に楽しく、素晴らしい経験の連続だった。

そんな毎日を夢中で過ごしていた私は、渡米後10日目、初めて家に電話をする。10日間一度も連絡しなかった申し訳なさを感じつつも、最高に素晴らしい経験をさせてもらえていること、そして無理にでも送り出してくれたことに対する感謝を父に伝えた。

そのときは「うん」と「そうか」くらいしか言われなかった気がするが、帰国後、母からこっそり聞かされたのは意外な父の姿だった。

「お父さん、あなたからの電話のとき涙ぐんでたわよ。ホントに感謝しなさいよ」

見たことのない父の涙。このとき、いつも冷静な父の心の奥に、少しだけ触れたような気がした。

工夫に満ちた父の路上運転講習

大学時代の忘れられない思い出の一つが、父から運転を習ったこと。

大学1年の年末、免許を所得して実家に帰省すると、運転を教えてやると言われた。車に乗せられて、初心者マークを買いに出かけた。

そこで驚いたのが、父が初心者マークを4枚も買ったことだ。車の前に2枚、後ろに2

枚。実に不格好にそれは貼り付けられた。

父いわく、「これで公道で何をやってもたいがい許されるわ」。そして私の運転で街へ。名古屋の100メーター道路をひたすら車線変更しながら進んだ。国内でもあれ以上たくさん車線変更の練習ができる道路は少ないだろう。

その後、名四国道(名四バイパス)へ。今度は非有料の自動車道路で、乗る(合流)と降りるを繰り返した。これも高速の合流の練習としては、とても合理的だった。

最後は会社の駐車場へ移動して、さまざまな駐車の練習。

こんなところにも、父の工夫と愛情があふれていたように思う。

一緒にビジネスをして

私が富士ゼロックスを辞め、ネオレックスへ加わったとき、私が25歳、父が51歳だった。

父は当時「社長の仕事は決断と実行」と言っていたが、この決断と実行の速さに、大企業から転職した私は面食らった。

新しい製品企画への「やってみよう!」「創っちゃえ!」(多くは父発案)、コンタクトしてみたいと思った相手への「会ってみよう!」など、いずれも決断と実行が極めて速いのだ。

まさにネオレックスの行動指針「クイック 前向き ローコスト」の「クイック」なわけだが、当時の私は「検討不足による判断ミスもあり得る」と感じ、「クイックと拙速は違う」とか「リアルクイックを目指そう」などと言ったが、これについては一向に聞き入れる様子はなかった。

応援してくれる人たち

そんなふうに、父を尊敬したり、時に反対したりした私だったが、外部には時々、ものすごく父を高く評価し、応援してくれる人たちが現れる。

例えば野村證券の高橋純さん。証券営業としての仕事は度外視して、弁護士事務所や特許事務所を紹介してくれた。ネオレックスの知財と法務分野は、今でもそのときの縁に助けられている。プライベートでも父と母は高橋さんの結婚式に主賓として招かれた。

その頃紹介してもらった弁護士の原秋彦先生には、私自身、今でも大変お世話になっている。原先生は、2002年FIFAワールドカップ日韓大会で、日本招致委員会および組織委員会の法律顧問を担当した、国際法にも詳しい日本トップクラスの弁護士さん。あまりに小さな私たちの相談に答えていただくのは気が引けるのだが、いつもとても親身になって相談に乗ってくださる。

リクルートの営業マンとしてネオレックスを訪れた中尾隆一郎さんも、父を評価してくれた人の一人だ。飛び込み同然で名古屋本社へ営業に来て父と意気投合し、当時ベンチャー支援を始めていた西岡郁夫さん（元インテル代表取締役社長・会長）へのプレゼンの機会を調整してくれた。

凸版印刷の部長だった常包浩司さんも、ものすごく父に好感を持ち、応援してくれた。一緒に新たなビジネスに取り組んでくれただけでなく、なかなか稼ぎの厳しかったネオレックスに、開発の仕事を回して助けていただいた。私がネオセルラーを立ち上げた際には、出資をお願いするため、当時事業部長で新規事業に前向きだった増田俊朗さんへ繋いでもらったこともある。

野村證券の高橋さんは、今は住宅会社の社長さん。中尾さんは、その後多くのビジネス書を書かれ、リクルートテクノロジーズ社長などを経て、中尾マネジメント研究所を設立、ご活躍を続けられている。凸版印刷の常包さんも平成13年（２００１年）に独立。設立したｅＢＡＳＥは、平成29年（２０１７年）に東証一部上場を果たし、今も成長を続けている。

手前味噌になってしまうが、こういったすごい人たちが、父のファンになって応援してくれたのも、父の持つ独特な魅力によるものだと思っている。

仕事を家庭に持ち込む

父はよく「家庭経営」という言葉を使っていた。この言葉の真意について詳しく聞いたことはないが、家庭と仕事の関係にも父らしい世界がある。

例えば、初めて自分で出願した特許が取れたとき、父はその特許証を額に入れて自宅に飾り、家族で乾杯した。日曜出勤時に幼稚園児の私を連れて会社に行き、職場で遊ばせた。仕事はガンガン持って帰り、家でも仕事をしていた。

その結果、家族は父の仕事内容を知り、父の仕事への情熱を感じていた。

私の子どもの頃の夢は、「技術者になってお父さんのように徹夜をしたい」ということ。父や、家によく来ていた仕事仲間の人たちの姿を見てそう思っていた。

これに習い、私も家庭に仕事を持ち込んでいる。家で仕事をするし、時にはプレゼンや講演の練習を家族に見てもらうこともある。うまくいった商談があれば話をするし、悔しい思いも話す。

そうすることで、家族の仕事への理解が高まり、嬉しいことは一緒に喜んでもらえ、悔しいことは一緒に悔しがってもらえる。「仕事を家庭に持ち込む」は、皆さんにもお勧めしたい駒井俊之の流儀の一つだ。

子育てのアドバイス

我が家に娘が生まれたとき、先輩パパとして、いくつかの貴重なアドバイスを父からもらったので、紹介しておきたい。

「いい子いい子と言って、親に都合のいい子に育てるな」

父にはいろいろ独特な物言いがあるが、これはもう、そのまんまの意味。言われてみると、子どもが「いい子」と言われる場合、その多くは、単に親にとって「都合のいい」状態だったりする。

電車の中でじっと座っていられる「いい子」。レストランで静かに黙っていられる「いい子」。そんなことよりも、子どもらしさや子どもの創造性を大事にするべきだと気づかされるひと言だった。

「子どもに芸を仕込むなよ」

子どもがまだ意味も分かっていないようなことを覚えさせるのは、動物に芸を仕込んでいるのと同じだという痛烈な指摘。つい「早く立てるようにならないかな?」と立っちの練習をさせていた私はハッとした。

それ以降、我が家では、何かがほかの子より少々遅いからといって慌てる必要はないという考えのもと、「大丈夫、ハタチまでにはできるようになるさ」とよく言い交わすようになった。

「親の反応で子どもは育つ。馬鹿なことで笑うな。駄々をこねたときに聞くな」

子は親の鏡と言う。例えば、馬鹿なことで笑うなというのは、子どもが「うんこ」や「おちんちん」といった言葉を連発するのは、大人が笑ったり驚いたりするのが嬉しくてやっているという話だ。

我が家では、そうしたときにニコリともしなかった結果、子どもたちがよくない言葉を連呼するようなことはなかった。

もう一つは、子どもが大声で駄々をこねるのは、そうすることで願いが叶った経験があるから。だから、駄々をこねたら願いを叶えちゃいけないという話。この教えも我が家で実践し、比較的うまくいった。

タモリさんとヨット談義

父の唯一の趣味であるヨットにまつわるエピソードにも触れておきたい。

大学で体育会系の部活に入ろうと考えた父は、ヨット部か馬術部かで迷った末に、ヨット部を選んだ。

父は高校では体育会系ではなく、文化系の放送部に所属していた。そこで、高校からの経験者が少なく、肉体以外の「プラスアルファ」でも勝負できる部活を選んだそうだ。こういった作戦を立てる考え方は、いかにも父らしい。

ただし、入部してからの父は、技も体も相当に鍛え上げ、近畿北陸学生ヨット選手権大会で団体戦3位入賞を果たしている。同志社、立命館などの強豪校から多くの選手が出場する中、国立大学セーラーの3位入賞は異例のことと、話題になったそうだ。

そんな父がヨットで日本一周をする1年前、その練習として行った志摩ヨットハーバーから沼津までのロングクルーズに私も同行した。

寄港した沼津マリーナには、タレントのタモリさんが経営するレストランがあり、週末にはそこへいらっしゃっていると聞いていた。そのお店で食事をしていると、タモリさんが現れた。

父はすぐ席を立ち、志摩ヨットハーバーから来たことだけを手短に伝えた。するとタモリさんは小声で「食事が終わられたらハーバー内で会いましょう」と応えてくれた。

父は、一般の人が誰でも入れるレストラン内でタモリさんが話しにくいことを察しつつ、ヨットの大好きなタモリさんが、志摩ヨットハーバーから来たヨットマンに興味を持ってくれると考えていた。

これが見事に的中。ハーバー関係者しか入れないエリアで、父はタップリ、タモリさんとヨット談義を楽しんだ。タモリさん所有のヨットの前で、家族とタモリさんで並んで撮った写真は、我が家の宝物の一つになっている。

「奇跡が起きたぞ！」

平成24年（2012年）、父が「琉球王朝杯・台琉友好国際親善ヨットレース2012」への出場を決めた。

当初シングルハンド（一人）で出ると言っていたのだが、私は心配でもあり、それ以上に自分も挑戦したいという思いもあって、クルーに志願した。

ところがスタートと同時にその私が船酔いでダウン。復活したのはスタートから12時間後のことだった。

その後は順調にレースが進んだのだが、台湾の手前、黒潮にかかるあたりで、ぱったりと風がやんでしまった。船を黒潮の逆に向け、流されないようにするのがやっとで、ほとんど前に進まない。黒潮に流されていけば、その先にあるのは尖閣諸島だ。

大会規定時刻よりも遅れてゴールした場合、失格になるだけでなく、大会事務局に迷惑がかかる。しかもウェルカムパーティーに間に合わない！　大会事務局に迷惑をかけたくないという思いの強かった父は、エンジンをかけようと言った。

風で走るヨットレースで、エンジンによる機走はリタイアを意味する。初の海外レースでどうしてもリタイアしたくなかった私は、父を説得した。

帆とエンジンを併用する機帆走なら8ノットは出る。ここからゴールまでは約80マイル。10時間あれば着くはず。残り時間は14時間、余裕がある。1時間おきに残りの距離を

8ノットで割って、機帆走した場合の所要時間を確認し、それが大会規定時刻を超えそうになったら、諦めてエンジンをかけよう。それまで粘ってみないかと持ちかけた。

父はこれを受け入れてくれ、レースを続行することとなった。その後、3時間おきにとる休憩を終えてデッキに上がると、そこには満面の笑みの父が居た。

「奇跡が起きたぞ」

父の愛艇「Ａｎｎｅ５（アンファイブ）」は、最高の風を受けて快走していた。

そのまま規定時刻内にゴールしたＡｎｎｅ５は、多くの艇がリタイアしたこともあり、このレースで総合優勝を果たした。

平成24年（2012年）「琉球王朝杯・台琉友好国際親善ヨットレース2012」に父とダブルハンドで参加し優勝。中央はこの日からAnne5のクルーとなった当時、台湾海洋大学学生のLIN君。Anne5のサポートを担当

平成27年（2015年） 父と、私と長女、研司君の長男とLIN君の5人で2度目の台琉レースに参加。家族も基隆の島周りレースに参加して準優勝。母は3日前、石垣島で見送ってくれた

平成29年（2017年） 恒例の座間味島ヨットレースに参加したNEOREXヨット部メンバー。座間味村長さんを囲んで

父は私の判断をたたえ、「拓央君のおかげで優勝できた」と言ってくれた。それは本当に嬉しかったが、こうして振り返ってみると、あのときの考え方や説得の仕方は、いかにも父のやりそうな手法で、それを少しは受け継ぐことができているのかな?と思ったりもしている。

いかがだっただろうか。

こうして振り返ってみると、父の「常識にとらわれず、常に考え、工夫する姿勢」が、仕事に限らず、人生のあらゆる場面で私に影響を与えていることを感じた。

工夫して、イタズラを企むようにする仕事は楽しい。それは、家庭経営にも同じことが言える。私は父から学んだその楽しさを、ネオレックスのメンバー、家族、さらには多くの友人たちにも、伝えていきたいと思っている。

またこの寄稿を通じて、けっして器用ではない、少し変わり者(失礼!)の父が内に持っている温かさも、皆さんに伝わっていれば幸いだ。

寄稿：ＣＥＯ　駒井研司君から

子どもの頃の思い出

我が家の中には、常に仕事があり、コンピュータがあった。

父の膝の上で、居間のちゃぶ台に載せられた真新しいパソコンを触った記憶がある。１９８０年代のはじめ、小学校低学年の頃だろうか。パソコンにマウスが付くようになるよりずっと前のこと。

それより以前から、父の書斎には、父が自作したパソコンがあった。当時は冷蔵庫のように見えていたラックに、無数のボードが刺さったもの。今、自作コンピュータと言えば、パーツを買い集めて組み立てたもののことを言うが、父の自作コンピュータは、ボード一枚一枚をエッチングし、電子部品を半田付けして作ったものだったと記憶している。

この書斎に、さまざまな人たちが集まって研究開発を行っていたことは、後から知った。当時分かっていたのは、週末の朝になると食卓に、徹夜明けの知らないおじさんたち

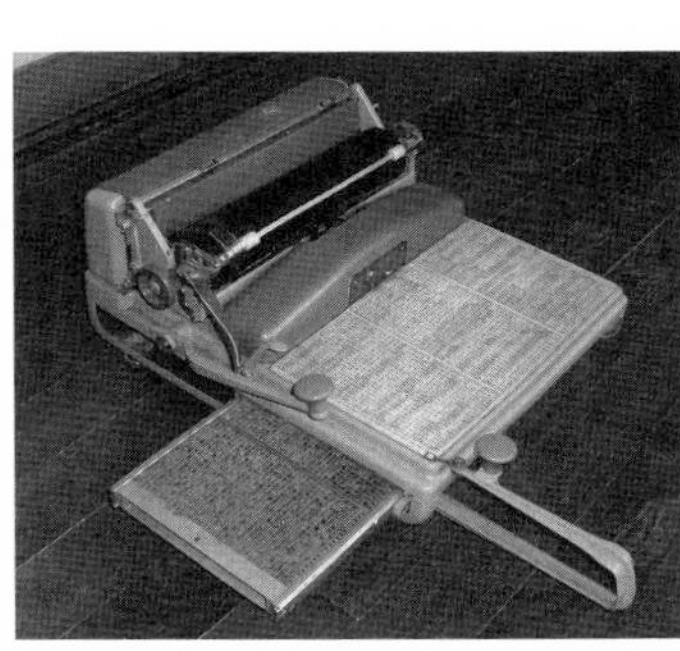
昭和55年（1980年） 母が使っていたのと同タイプの和文タイプライター

がいるということ。これは我が家では当たり前の光景で、特に不思議に思ったことはなかった。

夏休みなどで平日うちにいるときは、私も父の書斎で過ごすことがあった。理由は、当時、我が家で唯一のエアコンがあったから。床に寝転んで、蒸気機関車のジグソーパズルをしていたことを覚えている。

その頃、父は独立前だったので、平日の書斎にいたのは母と私だけ。母はそこでよく書類を作っていた。父の仕事の手伝いだった。漢字を含む小さなハンコ状の文字が無数に並ぶ大きな和文タイプライター。両手で持ったハンドルで文字を探し、1字ずつ、ガチャンと印字していた。

平日の自宅で、母が父の仕事を手伝っている姿も、我が家では自然な、当たり前の光景だった。

私が中学生になる頃、父が独立、創業した。勤めている会社を辞めて、自分で会社を始めると聞いたとき、少しだけなんとなく心配を覚えた。しかし、大きな不安や、驚きは感じなかった。

中学、高校時代は、仕事がより身近になった。会社は自宅の隣。自宅と会社が上階でつながっていたので、社長室は私の部屋の真上。ギターを弾いていたら、来客中だから音を小さくするようにと言われたことがあった。

当時のネオレックスの人たちは、仕事を深夜までしたり徹夜したりすることが多く、毎晩のように出前を取っていた。

今はなくなってしまった地元の名店「丸山」の味噌煮込みうどんやカツ丼、今も営業している中華料理「はっかい」の牛飯など。父も母も遅くまで働いているときは、私が自宅で食べる分も、一緒に出前を取ってくれていた。

こうした環境で育ったので、会社で夜遅くまで仕事をするのが普通のことだと思ってしまう。今どきのコモンセンスとはズレがあるので、注意しなければと思っている。

父が創業してからは、フルタイムで一緒に働くようになった母が、父を「社長」と呼ぶようになった。

自宅にいるときも、しょっちゅう仕事の話をしていたのは今と同じ。会社のビジネスホンが自宅の各部屋にあるので、家族での食事中などに母が仕事の電話を取ることも多い。そんなとき、当時の母は父を「社長」と呼び、父はその頃から母を「マネージャー」と呼んでいた。

その直後に家族の会話に戻ると、母は父を「パパ」と呼ぶ。そんな呼び分けがずっと当たり前だったので、今、父を「会長」「親父」などと呼び分けることにもまったく違和感はない。

子どもの頃のもう一つの思い出は、お酒、というかビール。父は、とてもたくさんビールを飲んだ。そして当時は、ビールしか飲まなかった。いつもサッポロ黒ラベル。

そして親戚も飲む。正月など、隣同士で暮らしていた祖父母の家に親戚が集まると、みんながビールを飲み、その空き瓶が居間からトイレに向かう階段沿いの通路まで、ずらりと並べられた。毎回、すごい本数だった。

父、母、ともに70を過ぎたが、今でもよく飲む。あるとき、お世話になっている「スクレ・サレ」というビストロで、家族4人で食事をした。確か、仕事で成果が出たときで、ちょっとしたお祝いだったと思う。

ワインを4本くらい空けただろうか。非常に盛り上がって、かなり大声で話していたら、すぐ後ろの席で有名な三國清三シェフが食事をしておられた。それに気が付き、みんなで詫びたところ、「食事とお酒は楽しくなければ！」と仰っていただき、一安心したことも、楽しい思い出。
家族でのお酒は、今でもすごく賑やかだ。

今に生きる大学時代の経験

大学時代は親元を離れ、長野県の松本市で暮らした。それでも時々は、父の仕事を手伝う、というか、関わらせてもらう機会があった。

あるときは、通訳として海外出張に同行した。確か、台湾と香港。いくつかの企業を訪問し、英語でこちらの希望を伝えたり、先方の説明を聞いたりした。

父は、かなり奔放に、かつ日本語独特の言い回しで話す。「この点がいささか気になるわけでありますが、まぁいいんじゃないでしょうか」といった感じで、英語に訳しにくいことこの上ない。

今、私が外国人と日本語で話すとき、表現や言い回しをできるだけ簡潔・明瞭にするよう心がけているのは、このときの経験からかもしれない。

そんな通訳泣かせの父だったが、このとき「通訳の三原則」を言い渡された。

●雑談も訳す
●自分の意見を加えない
●関連の知識を持つ

父のことだから、もしかすると、その場の思い付きだったのかな（?）とも思う。しかし、この三原則は今でも意識しており、機会があれば若い人たちに教えたいとも思っている。

父もこの本の中で書いているが、ネオレックス製のプレイステーションソフト「コズミックレース」の売り込みでアメリカに行ったことも思い出深い。苦労が多く、相当な珍道中であったが、得難い経験をさせてもらったと感謝している。

デリボーイの修理

当時、トヨタの「デリボーイ」という車に乗っていた。父と中古車販売店で見つけた商用車で、助手席側のボディの下のほうをよく見ると、うっすらと「岐阜ヤクルト」という文字の跡が見えた。

2シーターのバンで、車内後部はがらんどう。右側はドアミラーで、左側はフェンダーミラー。2ドアの左側のみスライドドア。コラムミッションで、ギアをバックに入れると、トラックのように外でピー、ピーと音が鳴る。ダッシュボードなどはドライバー一本で取り外しが可能だった。

とにかく魅力的な車で、父も私も一目惚れし、父が買ってくれた。40万円くらいだったと記憶している。

このデリボーイがあるとき、故障した。夏休みで帰省していた8月。実家の駐車場で、出かけようとしたときにエンジンがかからない。イグニッションスイッチを回しても、「シュルシュル」と力ない音がするばかり。JAF（日本自動車連盟）を呼んで見てもらったが、工場に送らなければ直せないと言われた。

そこへ外出していた父が戻ったので事情を話すと、見てみようという。真夏のうだるような暑さの中、父と二人で車の下に潜り込んだ。

すぐに汗だくになったが、あれこれ調べているうちに、原因はセルモーターとエンジンの接続部分が緩んだことと判明。接続箇所のボルトが1本欠落していた。しばらく噛み合わせが悪いままだったようで、ギアが少し削れてしまい、接続箇所の内側には削りかすが溜まっていた。

平成7年（1995年）　成人式の日や北海道一人旅などで愛用した「デリボーイ」

まずきれいにしようと父が言い、自宅の掃除機を駆使して、なんとか破片を吸い出した。

そのうえで、ボルトの締め直し。車内を探したら、助手席を固定しているボルトの径がぴったり同じであることが分かった。これを流用し、セルモーターの接続部分をしっかりと締め直したところ、見事にエンジンがかかった。

分かってしまえば、原因は簡単。そして、極めてシンプルな車だから、直せてしまった。

しかし、同じ状況で本当に直せる人がどれだけいるだろう？　そもそも直そうと思ってやってみる人がどれだけいるだろう？　少なくとも私は、ＪＡＦを呼ぶことしか思い付かなかった。

父があまりにかっこよく、自分もこうありたいと思ったエピソードである。

生きていく上でのお手本

大学3年生の時、『ビル・ゲイツ 未来を語る』（著：ビル・ゲイツ／訳：西和彦／刊：アスキー）という本が出版された。アメリカでインターネットの商用利用が開始され、Windows 95の発売が日本でも社会現象となっていた頃。日本語訳版の出版記念だったろうか、ビル・ゲイツ氏が来日し、日本で講演した。

そのとき、父は横浜の会場にいた。

ビル・ゲイツ氏とともに登壇したのが、世界的な事業家の原丈人さん。ボーランド社など多くの企業の役員を歴任され、シリコンバレーを代表するベンチャーキャピタリストの一人となった人物だ。

その丈人さんが壇上で、「日本にはベンチャーが育つ土壌がない。志ある若者はアメリカに来るべきだ」と話したそうだ。

父は横浜の会場から公衆電話で、松本市の私のアパートに電話をかけてきた。そこで聞いたばかりの話をし、アメリカに行ってみようという。

数週間後、父と私はサンフランシスコで、丈人さんのオフィスを訪ねていた。平成8年（1996年）の2月頃。その頃の丈人さんはサンフランシスコ大学や同市動物園の理事も務めておられた。

関係先などを辿ってアポイントをとりミーティングの時間を30分いただいた。確か、17時からだったと思う。しかし、前の予定の都合で丈人さんがオフィスに戻られたのは17時25分。5分後には次の予定があり、明日以降もどこにも空きはないという。

私はただ、「あーあ、せっかくアメリカまで来たのに……」と思い、がっかりするだけだった。

しかし父は、そこですかさず丈人さんに明日の予定を尋ねた。

「明日のご予定は?」

「早朝からサンノゼで、終日、関与先企業のボードミーティングの予定です」

「サンノゼまで何で行かれるのですか?」

「車で行きます」

「では現地まで私たちが車でお送りしましょうか?」

「いいですね」

このやりとりには当然、5分もかからなかった。

オフィスを出るとすぐに近くのレンタカー店に行き、車を借りた。当時、アメリカのレンタカーにオートマ車はない。そしてサンフランシスコは坂で有名な街。丈人さんのご自宅も見事な坂の上にあった。運転手は私だ。失礼どころか、危険があってはいけない。それから1時間ほど、父の指導のもと、夜のサンフランシスコを走り回り、坂道発進の練習をした。

平成8年（1996年） 原丈人さんと父。サンノゼに到着後、ボーランド社にて

翌日、早朝5時頃だったろうか。約束どおり丈人さんのご自宅にお迎えに上がり、サンノゼまでお送りした。

道中、後部座席に座った丈人さんと父は、1時間ほどゆっくりと、さまざまな話ができた。結果的に、当初予定の30分よりも長く、密度の高いミーティングを持てたと思う。

あのとき、父の提案に「いいですね」と即答した丈人さんはすごい。瞬間的にいくつものことを考え、判断したのであろう。

そして父もすごかった。がっかりしたり、絶望したりなどしない。「なんとかする」を前提として、即座に考え、行動し、実際になんとかしてしまう。

このときの父が、今でも私にとって、生きていく上でのお手本になっている。

丈人さんをサンノゼにお送りした翌日だっただろうか。丈人さんが主催されるアライアンス・フォーラム財団の渡辺恭子さんから「インターンとしてアライアンス・フォーラム財団に来てみないか」とお誘いを受けた。

日本では「インターン」という言葉がまだ一般的でなかった時代。理解に少々時間がかかったが、学生ながらにアメリカのオフィスでお手伝いをさせてもらえるのだと分かった。

帰国後すぐに休学手続きを取り、私は単身、再びサンフランシスコに渡った。私の人生に大きな影響を与えたサンフランシスコでの1年は、父の咄嗟のアクションからつながったものだった。

ちなみに丈人さんは、その後、国連や日本政府の参与や委員をされる一方で、ご著書の『増補 21世紀の国富論』(刊:平凡社)や『新しい資本主義 希望の大国・日本の可能性』(刊:PHP研究所)で公益資本主義を提唱されている。

ネオレックスへの入社

1年間のサンフランシスコでのインターンの後、帰国して大学に復学し卒業した。そして、プライス ウォーターハウス コンサルタントという会社に入社した。当時、世界6大会計事務所の一つと言われていたプライス ウォーターハウスのコンサルティング部門。業界再編などがあり、当時の日本法人は、今はＩＢＭのコンサルティング部門となっている。

物心つく前から、常にコンピュータが身近にある環境で育ち、アライアンス・フォーラム財団では、Ｗｅｂサイトをゼロから立ち上げる経験をさせていただいた。しかし、プログラミングは「やったことがある」という程度で、ＩＴの知識があるとはまったく言えない状態。入社後3カ月間の、フロリダ州タンパでのＩＴ研修は実に有益で、そして楽しかった。

研修修了後、今度は研修のお手伝いとしてアシスタント・インストラクターに指名してもらうことができ、さらに3カ月ほどタンパで過ごした。

帰国後は、カスタムソリューションという部署へ配属。当時、ほとんどの同期がＳＡＰという大企業向け基幹システムの導入に関わる部署に配属される中、私の配属先は独自開発の

平成12年（2000年） 神楽坂の事務所近くの居酒屋「加賀屋」にて、父と兄が私を勧誘した日の様子

システムやソリューションを提供する部署だった。
上司も先輩も厳しく、大変なこともあったが、ここで教えてもらった仕事の基本やＩＴに対する姿勢・思想などは、父の教えと並び、今でも私の基礎となっている。

入社して3年、やっと少しは仕事を任せてもらえるようになった頃、父と兄から、一緒に仕事をしないかと誘われた。

すでにネオレックスに入社していた兄が独立し、新たに大きな事業を始めようとしていたとき。新規事業はとても魅力的に思えたし、父と兄から頼りにされていることも嬉しかった。育ててもらったカスタムソリューションの皆さんと会社には大変申し訳なかったが、退職し、父と兄に合流することを決断。平成12年（２０００年）の終わりのことだった。

平成13年（2001年） 生まれて初めて金型設計に挑戦した「Cタッチi」

父や兄と働いて

ネオレックスに入社したら、私も兄の始める新規事業に一緒に取り組むのかと思っていた。しかし実際の主な仕事は、従来のネオレックスの事業に関するものだった。想定とは違ったが、特に気にすることはなかった。

当時ネオレックスの社長だった父は、多くのことを私に任せてくれた。分からないことだらけで、しかも予想を遥かに超える大変な財務状況の中、うまく行かないことも多かったが、夢中で仕事に取り組んだ。

兄の新規事業は、私のメインの仕事ではなかったが、いろいろと関わることはできた。その中でも印象深かったのは、ネオレックスが担当した携帯電話用マイクロバーコードリーダー「Cタッチｉ」の量産向け設計。兄の新規事業の要となるデバイスの開発だった。

この仕事は、直接的に父と一緒に取り組むことができ、よい思い出となった。図面を書いて構造を考えたり、工業デザイナーさんと話し合って理想と現実の調整をしたり、中国・深圳市の製造工場に行って製造ラインの改善に取り組んだり。ここでもまた、父の仕事への姿勢をしっかりと学ばせてもらうことができた。

父と取引先を訪問し、二人で打ち合わせをすることもしばしばあった。気が付くと父が靴を脱ぎ、机の下で人知れずあぐらをかいていたことなど、懐かしい。あるいは、相手に腹の立つようなおかしなことを言われても感情的に怒ることはないところ、時に信じられないような図々しい申し入れをするところなどなど。ハラハラすることもあったが、今思えば楽しい思い出ばかりだ。

その後も父は、私と兄に多くを任せ、時に見守り、時に背中を押してくれた。

私が手帳とマイクロソフトの表計算ソフト「Ｅｘｃｅｌ」を使って実践していた自己管理法をアプリにしてはどうか、という話になったときには、兄と一緒に背中を押してくれた。そのおかげで生まれたのが、「ＭｙＳｔａｔｓ」だ。

また、私と兄がタブレット タイムレコーダーの開発において、1年以上の開発成果を捨ててゼロベースで再スタートを切ると決断したときも、私たちの判断を信じ、見守ってくれた。

「意見は言うが、主張はしない」と言いながら、強い主張をしてくるので困ることもあったが、基本は、ずっと任せるつもりでいてくれたのだと思う。

仕事以外の父

仕事以外の父は、ほとんど知らずに育った。

外で酒を飲むことはほとんどなく、ゴルフもしない。大好きなヨットも、30代から50代までは、仕事が忙しくほとんど乗れていなかった。

私が目にする父は、常に仕事のことを考え、そして実際に仕事をしていた。

仕事以外の父は、私たちの子どもが生まれ、孫を持つようになってからだんだんと目にするようになった。

子どもたちは、この父、そして母にずいぶんと世話になって育った。幼かった頃、週末にはしょっちゅう祖父母のところに泊めてもらっていた。

そのときの写真を後で見せてもらうと、幼稚園児がドライバーや半田ゴテを持って何かを作っていたり、大きな机の足を片側だけ外し滑り台を作り滑っていたりと実に楽しそう。

息子が電車に凝った頃には、食卓の裏に模型電車のコースが作られていた。ふだんは分からないが、食卓をひっくり返すと、そこに接着されている見事なジオラマが現れ、電動の電車を走らすことができた。

そのほか、動物園や博物館などにも頻繁に連れて行ってもらった。

最近、高校生になった息子に聞いたのだが、おじいちゃんとおばあちゃんのところに行くと、毎回その日のテーマが設定されていたという。

「今日は電子工作」「今回は動物の研究」など。おかげで子どもたちは、楽しい経験を通じて幅広い知識を身につけ、強い好奇心を育ててもらうことができた。

キッチンセンターと我が家の改装工事

父と母が関わってくれた子育てを通じて、私たち夫婦も得難い経験をしたと思う。自家製のキッチンセンターは、そんな思い出の一つである。

あるとき、妻の美也子が、台所のままごと遊びに使う「キッチンセンター」を娘たちに買ってやりたいと思い立った。そして、最初は父母が買ってくれるという話が進んでいたように思うが、気が付くと、父の支援のもとで妻が自作することになっていた。

父から妻にプレゼントされたのは、電動ドリルやジグソーなどの工具一式。父と妻はＦＡＸで図面をやりとりして設計・制作を進めた。

この時期は、私が帰宅すると、子どもを寝かしつけた妻が狭いアパートのダイニングいっぱいにブルーシートを広げ、キッチンセンターを作っていた。出来上がった素晴らしいキッチンセンターは、今でも娘たちの部屋に置いてある。

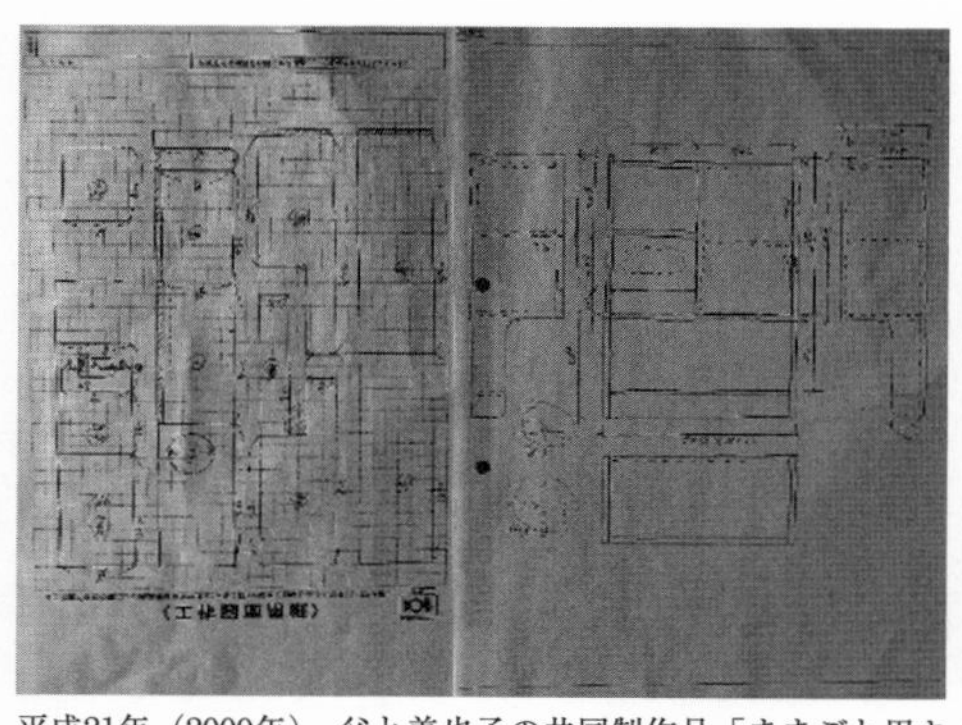

平成21年（2009年）　父と美也子の共同制作品「ままごと用キッチンセンター」

平成21年（2009年） 購入した家の台所と居間の壁をくりぬいてLDに改造

こうした手づくり志向も、駒井家の流儀の一つ。私たち夫婦が、マイホームを購入した時のこと。将来建て替えるつもりで古い家を手に入れ、自分たちで改装していろいろと試してみようと考えていた。その検討に父が参加したことにより、取り組みはかなり大きく、大胆なものとなった。

畳の部屋はフローリングに張り替えた。畳を取り払い、根太（ねだ）を組み、ホームセンターで買ってきたフローリングを専用の釘で留めていく。

孤立していたキッチンは、壁に穴を開け、下面を張り出させた大きな木枠を作って穴にはめこみ、カウンターキッチンに造り替えた。

さらにはインターホンや温水洗浄便座を買ってきて取り付けた。父のおかげで、素人にできる限界まで取り組めたのではないかと思う。

会長から受けた影響

仕事の上で社長、会長としての父から学んだことを少しまとめてみる。

まずは任せるということ。人に任せると、思うように行かないことが多い。そんなとき、会長はよく「任せるって、そういうことよ」と言っていた。

また、後輩は、先輩や上司からやり過ぎと言われるくらいがちょうどよいともよく言っていた。後輩がやり過ぎたとき、後始末をするのが、先輩や上司の仕事だと。

よく考えることも父から学んだ。何かをするとき、徹底的に考えてみる。

ほかの選択肢は？　なぜこのやり方を選ぶのか？　周囲にどんな影響があるか？　リスクは？

あらゆる角度からさまざまな検討をした上で、最後は大胆に決断する。これが父のスタイルだ。

大胆緻密、というのが父の好きな言葉の一つ。

子どもの頃からこの言葉をよく聞いていた私は、なんとなく父を「緻密」のほうが色濃い人だと思っていた。

しかし一緒に仕事をするようになってからは、どちらかと言えば「大胆」に寄っている人だと分かった。徹底的に考えることが基本だが、時に、あまり考えずに突き進むこともある。結果は、よいときもあれば、よくないときもある。この辺りがまた、非常に会長らしい。

もう一つは、自分でやってみること。

父は50代の頃も、システムの構成設計などをしていた。お客様向け提案資料も作っていたし、60代になってもチラシ原稿を書いていた。ツイッターでのつぶやきだけで、『つぶやき航海記』（刊：eブックランド）という本も出した。

70代の今も、いつもネオレックスの社名が入った方眼紙を持っていて、何かの図面を書いている。

私が社内で新たな取り組みをするときも、父から度々「自分でやってみたか？」と聞かれた。

新しいシステムの導入なら、まずは自分自身で使ってみろ。制度変更なら、まずはその新制度案に基づいて自分がしばらく仕事をしてみろ、という感じ。

「あ、そういえば自分でまだやってないな」と気付かされ、実際にやってみて、改善すべき点が見つかることもしばしばだった。

私がネオレックスに入社してしばらくした頃、お客様から猛烈なクレームが入ったことがあった。

うちのシステムの問題で、業務に大きな支障が出たという。その時点では、原因が本当にシステムの問題なのか定かではない。

しかしお客様は大変お怒りで、メンバーは対処に困っていた。

会長に相談すると、そのお客様の言葉の中で愛を感じるところがあるかと聞かれた。愛があるなら、全力で対応せよ。愛がないのであれば、果たすべき責任をしっかりと果たした上で、取引を終了しなさいということだった。

仕事について、またお客様については、さまざまな考え方がある。このように書くと、よく思わない人もいるかもしれない。しかし私は、会長のこのような考え方が好きだ。

ちなみにこのときのクレーム事案は、システムではなく運用の仕方に問題があったことが後にはっきりし、幸いお客様との関係も丸く収まった。

ネオレックス社内の会長ＤＮＡ

会長の考えや姿勢などを私たちはしばしば「会長のＤＮＡ」と呼んでいる。そしてこの

DNAは、私たち兄弟だけでなく、社内にしっかりと浸透していると思う。

度々出てくる、「任せる」という仕事のスタイルは、ネオレックスの基本だ。入社1年目の新人であっても、仕事を進める上で細かな指図は受けない。目的やアウトプット、留意点、期日などを伝えた上で、進め方は本人に任せる。少し経験を積んでくれば、目的や期日なども含めて、自分で決めるようになっていく。

誰のために何をしているか、という言葉も、よく社内で耳にする。

仕事に限らず、人は何かに夢中で取り組んでいると、本筋を逸れてしまうことがある。お客様向けに最適な方法を議論していたのに、自社に都合のいい方法の検討にすり変わってしまう。あるいは、速度改善の開発をしていたはずなのに、機能強化に重点が移ってしまうなど。

昔から、そんなときに会長がふらっとやってきては、「誰のために、何やっとんだ?」と問いかけてきた。そしてみんな我に返った。

そんな経験を持つ先輩たちから代々話が伝わり、若手のメンバーも「誰のために何をしているか」を、折に触れて考え直す習慣が身に付いている。

そして、なんでも創ってしまうということ

会長主導のもとで、さまざまなものを自作してきた。

本社の電気やLANの配線は自社で行った。本社6階、7階の内装工事や、本社玄関の解錠システム、シリンドリカルレンズ専用の光学設計ソフトなども。

こうした会長のDNAを受け継いで、社内メンバーも、あれこれと自作している。

ICカードリーダーの読み取りを数千回続ける自動テスト装置は、扇風機を改造して創られた。人事制度も給与体系も、すべて自分たちで創り上げた。毎年恒例の年末イベントで使う早押しピンポンシステムも、有志による社内開発。

バイバイ タイムカードにおいて各種のミドルウェアまで自社開発しているのも、会長DNAの流れだろう。社内ではいつも誰かが何かを創っているし、みんなが何かを創りたいと考えている。

私たちの責任

会長のDNAをネオレックスの中で受け継ぎ、発展させていくことが私たちの責任だ。

創業者である会長の考え方、やり方、感性は、ネオレックスの基礎であり、アイデンティティーだ。しかし、ただそれを受け継いでいくだけではだめだ。時代に合わせて、自

分たちの進化に合わせて、会長DNAを発展させていく。そのままの姿に留まらないこと自体が、会長DNAの一部をなす、重要な要素と考えている。

そしてそれは、仕事以外でも同じだ。私たち兄弟は、父を自分たちなりに解釈し、取り込んできた。子どもたちも同様に、孫として父に接し、自分たちなりにDNAを受け取ってきたと思う。これらを次の世代へ、その次の世代へと、発展させながら継いでいく。

これが私たちの責任と考えている。

ネオレックスの精神的支柱にして財務大臣（？）
——二人の母親からもひと言を願う

感謝を込めて

以上、現在ネオレックスの社長とCEOを務めている二人の息子からの寄稿を掲載させていただいた。

私の筆が足りていなかったところをよく補ってくれ、また私たち両親について比較的よい側面を多く紹介してくれたことに感謝をしたい。

続いて、彼らの母親にして、私の公私両面でのパートナーである、駒井佳子さんからも一筆寄せてもらった。

彼女は、ネオレックスの共同創業者であり、専務・マネージャーとして社業全般に目を配ってきてくれた。会長である私の右腕であるとともに、メンバー全員の「ゴッドマザー」的な存在として、まさにネオレックスの精神的支柱であったと私は考えている。

我々二人は、会社と家庭の別なく常にともにあったし、現在もその二人三脚は続いている。それゆえ考え方や姿勢も一致していると本人からも言ってもらったことがある。

一方で、家庭において、息子たちが成長するまで、父親の私が育児に直接関わることはほとんどなかった。また会社においては、経営の厳しい時代の資金繰りにも、大いに頭を悩ませ、奔走してもらったものであった。

とかく主張の強い私を、父親として、会長として常に立ててくれた彼女に、母として、パートナーとしていかなる思いがあったのか。さぞかし言いたいことが多いのではないかと思いつつ、私から最大の感謝を込めて寄稿を依頼した。

寄稿：マネージャー　駒井佳子から

厳しく、断定的な先輩でした

会長と私が知り合ったのは高校時代、放送部の先輩後輩という関係でした。

会長が前に書いているように、1年先輩の彼は主に技術担当の部員、私はアナウンスを担当している部員の一人でした。

高校時代の彼に、私は「何かと厳しく断定的な先輩」という印象を抱いていました。


ある程度、校内放送の経験を積んだ頃、お昼にニュースを放送することになりました。私と同学年の浅井さんが技術担当、私がニュースを読む担当です。そのとき、取材をしてニュースの原稿を書いていたのが会長でした。

放送開始ぎりぎりまで原稿の打ち合わせをした後、彼は必ず自分の教室へニュースを聞きに駆け戻っていきます。そして、ニュースが終わるやいなや、部室の前のスノコが大きな音を立てます。

教室から放送室に駆け戻ってきた駒井先輩は、私たちに毎日厳しいダメ出しをするのでした。

会長はなんでも集中して取り組まないと気がすまないたちですが、それは高校時代から変わっていません。例えばこんなこともありました。

違う部活をしていた仲のいい友達が、先に部活が終わった日に、放送部の部室の前で私を待っていてくれることがよくありました。

それを目にした駒井先輩は、「気が散るから待ってもらわないように」と言うのです。私はしかたなく、それ以降はお友達に離れた見えないところで待ってもらうようにしました。

気づいていた会長の人柄

そんなふうに「厳しくて断定的な先輩」でしたが、ただ厳しいだけでなく、思いやりが深くて一途なところも当時から分かっていました。

これも高校時代のことですが、友人と3人で、目の不自由な方のために朗読のボランティアを始めました。きっかけは、会長と同学年だった放送部の先輩、大道寺さんの勧めでした。

ところが間もなく、ほかの二人がばらばらと抜けて、私一人になってしまいました。そのとき彼は大道寺さんと二人で、私を励ますように、夏休みに録音を手助けしてくれました。

おかげで私は、高校を卒業後もずっと、朗読のボランティアを続けることができました。

実は、その「声の図書館」の経験を通じて、会長の人柄に気づいたこともあります。視覚に障害のある方々とキャンプに行ったり、ショッピングにご一緒したりしていると、とても大変だなと感じることがあります。そのため、自分の子どもや身近な人に、こうした障害が起きた場合を想像することがありました。

そんなとき、なぜか「駒井さんだったら、その子たちのために学校でもなんでも創っちゃうのだろうな」と思えました。その印象は、今も変わっていません。

会長が高校を卒業するとき、私への寄せ書きに書いてくれた「今日も人生の一頁が過ぎゆく、悔いのない青春を人生を」。

私の忘れ得ない言葉となっています。

お仕事の原点

私のお仕事の原点は日産化学。会長と結婚するまで6年ほどお世話になりました。

初めて社会に出て何も分からなかった私が、営業事務としてたくさんのお仕事を任され、出張なども経験し、自分の能力以上の力を引き出していただきました。

素晴らしい先輩たちに恵まれ、あんなふうにお仕事ができるようになりたいと夢見て、頑張った日々。今も日産化学でお仕事できたことを誇りに思っています。

ネオレックスも、メンバーの皆さんから在籍したことを誇りに思い続けてもらえる会社であってほしいと願っています。

結婚に先立って

結婚する前に会長から言われたのは、「一緒に新しい駒井家を創ってほしい」とのひと言でした。今その言葉を振り返って、まさに彼は創る人なのだと思います。

「意見が異なるときは話し合って、いいと思われるほうにしよう」とも言われました。

彼が「フェーズ合わせ」と書いているように、結婚生活は長い時間の積み重ねで、いろいろすり合わせが必要なことも多いものです。ですが会長との間では、お互いの考え方の違いなどは特に感じてきませんでした。

結婚以来ずっと、家でも会社でも同じ環境で、同じ体験をしてきたこともあってか、何を見ても同時に同じ感想を持っていることが多く、お互いに「今そのことを考えていたところ！」とあまりの一致にびっくりすることもしばしばです。

彼の口癖「子どもには無限の可能性がある」

結婚してからしばらくの間、幼い息子たちに手がかかった頃は、団地住まいでした。同年代のお母さんたち（今でいう「ママ友」）がたくさんいて、とても楽しい毎日でした。敷地内に複数の公園もあり、私は、毎日、外で子どもを遊ばせていました。後に会長から、私たち夫婦の子どもがたくましいスポーツマンに育ったのは、この時期に外で遊ばせてくれたおかげだと言われたことがあります。

本人は育児には関わらなかったと言いますが、実際には常に見守り、応援してくれていました。

会長らしいのは、子育て中、多くのアイデアを発揮していたところでしょう。息子たちがまだ小さい頃、「ひらがながなかなか覚えられない」と彼に言ったことがあります。その場では「覚えるときが来たら覚えるからいい」と言っていましたが、ある日の夜、子どもと一緒に《あいうえお》を書いたカードを作って、そのカードで宝探しをしていました。

この遊びで、息子たちは一晩でひらがなを覚えてしまいました。

そんな彼の口癖は、「子どもには無限の可能性がある。だからその芽を摘まないように」でした。今、孫たちに接する姿を見ていても、その考えは変わっていないと思います。

もちろん私も、その考えに共感していました。だから新米ママだった頃には、公園で遊び疲れて寝た子を前に、自分の都合で可能性の芽を摘んでしまうようなことはなかっただろうかと、反省して涙することなどもありました。

会長のその姿勢は家庭の中にとどまらず、会社のメンバーの一人一人にそうした思いで接していると思います。昔、創業期に手伝ってくれたアルバイトの学生さんたちにも、同じ姿勢で接していました。

以前にアルバイトで関わった人やメンバーから、「自分では気づかなかった思いもよらない能力を会長に引き出してもらった」と感謝され、嬉しく思ったことが幾度もあります。

長男と次男

子どもの可能性に期待する一方で、無理強いはしない人でした。テレビを見る時間の制限や自転車のヘルメット着用など、親として言い付け、守らせていたこともいくつかありますが、それは「きちんと育ってほしい」との思いからでした。

毎晩帰宅が遅いので、子どもとお風呂に入ることはめったにありませんでしたが、一緒に入れるときは貴重な触れ合いの機会として、徹底的に楽しく遊んでいました。

ここは、当時、ママ友仲間から羨ましがられたところでした。旦那さんたちの中には、お風呂ではきれいに体を洗わなければ、とこだわる人もいるようです。

その点、いろいろ楽しい遊びを考えてくれる父親とのお風呂は、我が家の息子たちにとって最高に楽しみな時間だったと思います。

息子たちは、家庭や仕事に対する考え方も私たちに似ています。それでも兄と弟では性格の異なるところがあり、親としてもやや異なる接し方をしてきました。

例えば、長男が幼い時、一緒に自動車に乗ると、よく会長と３人で対向車のナンバープレートの数字を足す競争をして遊んでいました。彼はその遊びが好きで、車に乗るといつも同じ遊びをしていました。

次男が同じ年頃になったときに、久しぶりにその遊びをしてみました。でも、兄と違って彼は興味を示さなかったので、すぐに止めました。

二人へのしつけ全般を振り返ると、次男に対して多少甘くなったところがあると思います。ですが、それは、長男が成長する過程で経験したいろいろなことが、親としてのトレーニングになっていたからでしょう。

そうしたところは弟の特権でもあると思いますが、兄弟間での立場は常に兄が上の扱いでしたから、バランスは取れていたと思っています。

そういえば、長男が幼稚園の頃ですが、彼が通っていた絵画教室の先生から「拓央君は遊びの天才だ」と褒めていただいたことがあります。

遊ぶ道具が何もないところでも、何かを思い付いて仲間や年下の子と遊ぶことができる子でした。小学校の集団登校の団長をしていたとき、黙々と歩くのではなく、みんなで大きな声で九九を言いながら登校したと聞いたこともあります。その力は今も随所で発揮していると思います。

両家の初孫となった長男は、祖母からいつもいいタイミングで本をプレゼントされたこともあり、年齢とともに本に親しみ、読書が好きな子に育ちました。

子どもたちが小さかった頃は、夜、お布団の中で本を読んで聞かせるのが習慣でした。私が疲れていて、いつの間にか声が小さくなり、途絶えかけると、子どもは私を揺り起こします。会長は時々これを見かねて助け舟を出し、「今日はもうお母さんを寝かせてあげなさい」と子どもたちに言い聞かせてくれました。

二人は読書家ですが、次男は最初から本に囲まれて育ったせいか、初めは兄ほど読書好きではありませんでした。

ですが、あるとき、『はてしない物語』（著：ミヒャエル・エンデ／訳：上田真而子／刊：岩波書店）を読んですっかりとりこになった彼が『指輪物語』（著：J・R・R・

トールキン／訳：瀬田貞二、田中明子／刊：文響社）のシリーズ本をまとめて買ってほしいと言いました。

書店で聞くと、注文後の取り寄せしかできないとのこと。そのセットはやや高価でしたし、小学5年生には難しく、買い与えても読みこなせないのではと私は心配しました。

ですが、会長に話すと「買おう」と即断。それをきっかけに次男も本にのめり込み、読書の習慣が付きました。

また、彼はいろいろなことに広く関心を持つタイプで、長男がラグビー一直線になる頃、「スケボーをしたい」と言い出しました。私はそうした新しいスポーツに「不良っぽい」印象を持っていたので反対し、会長も許さないだろうと思いました。

ところが意外にも、会長は反対をするどころかむしろ応援をして、息子と車で出かけるときはいつも「スケボー積んだか？」と尋ね、親戚や知人にもパフォーマンスを披露するように言っていました。

次男も彼の応援に応えて、近所の高架下や繁華街である栄などで練習を続け、かなり上手になったと思います。

多くの親御さんもお感じのことだと思いますが、私たち夫婦にとっても、子育てほど楽しい経験はありませんでした。

二人は高校を卒業すると、それぞれ東京と松本の大学に進学しました。二人を送り出した後は、とても寂しい思いをしましたが、「育児は本当に楽しかったね」と二人でよく語り合ったものです。

二人のネオレックスへの入社は反対でした

二人の入社は、本人たちも言っているように父親の影響が大きかったのです。

息子たちがネオレックスに入ってくれると言い出したときは、真剣に「反対！」と思いました。その頃は、会社が何億円もの負債を抱えており、二人とも安定した大企業に勤めていたので、そのままのほうがいいと思っていました。

ところが会長は、状況の割に危機感を見せず、実際になんとかなると思っていたのでしょう、息子たちが仲間に加わってくれるのを大歓迎の様子でした。あまり顔には出さなくても、内心で息子たちを頼もしく思っていたのです。

今のネオレックスと駒井家があるのは、彼と息子たちのおかげであると、心から感謝しています。

会長としてのまとめ――
私たちの思い「関わりをもった人はすべて、幸せであってほしい」

駒井家の流儀……のようなもの

以上、二人の息子とパートナーである佳子さんからの寄稿を紹介させていただいた。私一人だけが語っているよりも、だいぶ立体的に駒井家の雰囲気をお感じいただけたのではないかと思う。

思えば今や、その息子たちにもそれぞれの家族があるわけだ。私たち夫婦としては孫たちにも恵まれ、特に私は多少、心境の変化なども自覚している。

ここで改めて彼らの寄稿に感謝し、その流れを引き継ぐ形で、私なりの家庭に関する流儀のようなもの（最新バージョン）を語っておきたい。

その一 家では、仕事の愚痴や小言は言わない。「楽しいことだけを話す」

私が22歳で前職の会社に就職したとき、事前に給与の額を聞いた記憶はない。成果を上げれば給与は上がると考えていたから、聞く必要を感じなかったのだと思う。

人間関係については、会社が採用した初の大卒でもあり、周囲の先輩たちから胡散臭く見られていたようにも思うが、細かいことは気にせず「Going My Way」で会社員生活を送った。

入社後しばらくはリフトの運転が仕事だったので、周囲はそのうち音を上げて辞めると思っていた節があるが、当人は「暇なうちに」と夜学に通って勉強もしていた。

そうしているうちにチャンスが巡ってきて、一人事業部になったのは前述のとおり。

昭和59年（1984年） 休日に拓央君と研司君（手前）を誘って工場の草刈り

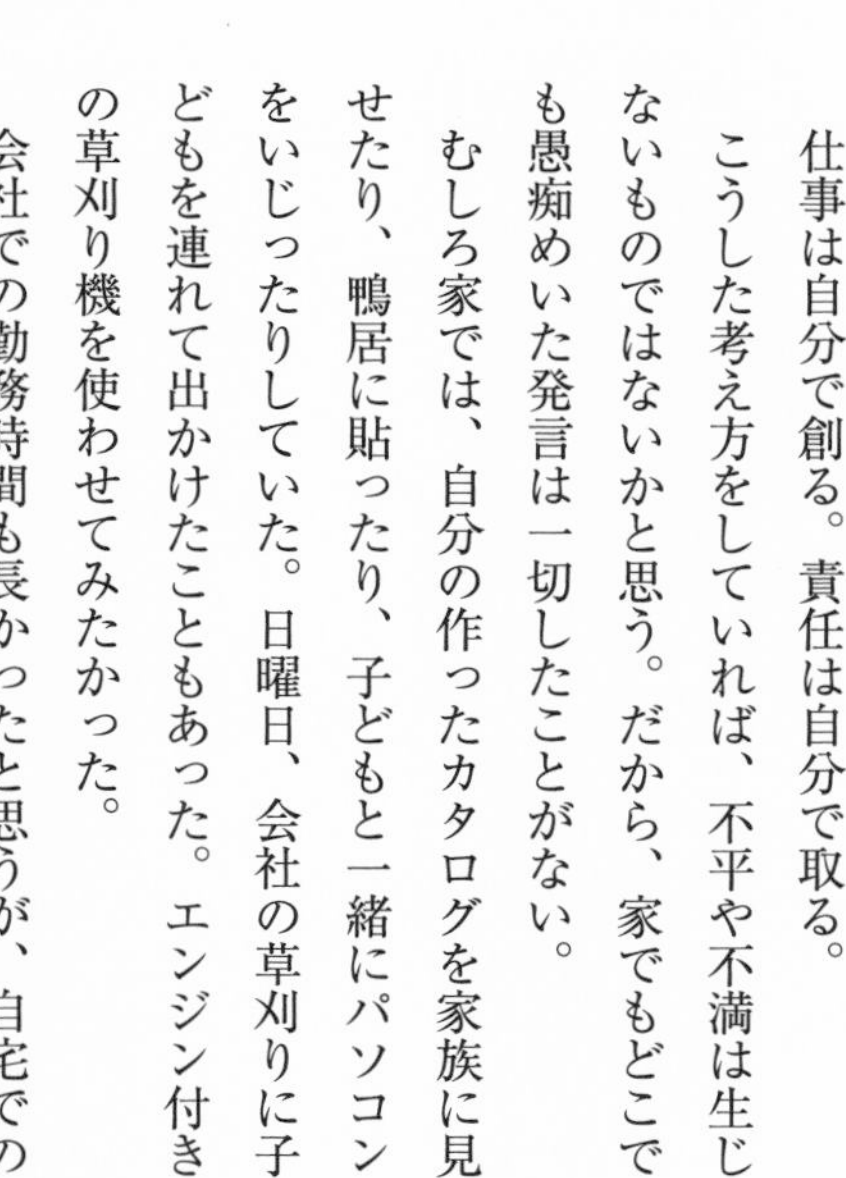

仕事は自分で創る。責任は自分で取る。

こうした考え方をしていれば、不平や不満は生じないものではないかと思う。だから、家でもどこでも愚痴めいた発言は一切したことがない。

むしろ家では、自分の作ったカタログを家族に見せたり、鴨居に貼ったり、子どもと一緒にパソコンをいじったりしていた。日曜日、会社の草刈りに子どもを連れて出かけたこともあった。エンジン付きの草刈り機を使わせてみたかった。

会社での勤務時間も長かったと思うが、自宅での自主学習はもっと密度が濃かった。ＩＣもマイコンも、すべて自宅で学習し、実験していた。

なぜ、こうも前向きに取り組めたかを考えると、「やらされ仕事」がなく、すべてが自発的に始めた仕事や「任され仕事」であったから。それに尽きる。

君に頼んだと一任される「任され仕事」は、命令、指示される「やらされ仕事」と根本的に仕事の質が異なる。

こうした自身の経験から、ネオレックスにおいても、「指示する」「させる」ではなく、「依頼する」「任せる」を心がけていたので、それが定着してきたものと思う。

こうした親と大人の様子を見ていたことから、息子たちも、いつしか自然と「自分も早く徹夜をしてみたい」とあこがれるようになったのであろう。

その二 初孫に対面して——「普通のおじいちゃんに大変身」

初孫が生まれた。53歳の時である。

それまで自宅でも会社でも、どちらかというと「ムッツリ親父」を通してきた。親となった拓央君と妻・敬子さんの前でも、お酒を飲んだときを除けばムッツリ顔で、ボソボソ発言だったと思う。

小さい小さい孫の励美を抱っこさせてもらった。生まれたての赤ん坊の、可愛くなる以前のクチャッとした顔……。自分がどういう顔をしたらいいのか分からなかった。考えた。

このままムッツリ路線で行くか、それとも、ニコニコ、ヘラヘラに路線変更か？

そして、キッパリ決断をして後者を選択した。

以来、孫との接触は頻繁となり、財務（資金繰り）や経理・総務関係の業務を担当しているマネージャーとともに上京し、定例の経営会議に参加する週末には、東京の事務所として使っていた高橋ビルの狭いロフトに、必ず孫のお泊まりがあった。

その習慣は、事務所が移り、私たちの東京での宿が１Ｋの狭いアパートに移った後も長く続いた。

この変身は、我ながら誠によかった。

世のムッツリおじいちゃんたちも、誰しも孫を前にすれば、ある程度変身するものと拝察するが、私の場合は何事も徹底する性分。孫たちが外へ出かけられるようになると、私たちは、公園、動物園、博物館と徹底的に付き合い、一緒に行く施設の年間パスポートを何種類か持っているほどだ。

また、預かった孫が熱を出したときなど、息子夫婦から「心配していないからよろしく」と言われた。

そういえば、その頃までは忙しくてほとんど乗ることができず、ただ浮いているだけの我がヨットだったが、初孫の励美の後に5人の孫も生まれると、東京でもヨットでも家族12人全員が揃い、賑わうようになった。

孫に恵まれ、新しい家族に囲まれての私の姿勢の変化は、経営をともにする息子たちの気持ちも少しは和ませることになったと思う。

その三　孫へのメッセージ——自己責任の歌

絵本や工作など、孫と一緒に創ったものがたくさんあるが、そのうちやや変わったものとして「自己責任の歌」がある。

外で孫と遊ぶときは、息子たちを育てた経験もあってか、「少々危ないことをしてもよし」と腹をくくっていた。

ただし、彼らが危なそうなことをするときには、いつも「自己責任だぞ」と声をかけていた。この言葉、自分の生き方そのものだったので、自然と口に出たり、行動となったりしていたのであろう。

あるとき、狭いマンションで孫と遊びながら、こんな歌を創った。

「自己責任の歌」

1. お父さんとお母さんが、ダメと言っても、
いいと思ったら、やりましょう、やりましょう。
自己責任………

2. おじいちゃんとおばあちゃんが、いいと言っても、
ダメだと思ったら、止めましょう、止めましょう。
自己責任………

3. 歩道の信号が赤でも青でも、
車が来ないか、確かめよう、確かめよう。
自己責任………

4. お父さんがビールをもう一本と言っても、
お母さんの顔を、確かめよう、確かめよう。

自己責任…………

各歌詞の後に「自己責任、自己責任、ジコジコジコジコ自己責任」というおはやしが付いている。

夏休みにヨットで臨海教室をしたとき、小学生だった研司君の娘の美瑠ちゃんが突然メロディーを付けて歌いだしたのにはびっくりした。

この歌は、駒井さんっちの『自己責任の歌』として定着し、ユーチューブにも上げておいた。こうして、駒井さんっちの考え方を次世代にもつなぎたいと思っている。

メンバーは家族

経営会議の議決は「拒否なし」で決定

毎月経営会議が行われる。財務状況、マーケティング状況、すべての経営事項について情報の確認と承認を行う。

参加人員は4名。社長とCEO、そして私たち創業者夫婦である。CEOの議事進行で財務や営業、広報やプロジェクトの進捗などを協議する。

各自がいいと思うことを提案し、議論・決議し承認をしていくが、意見が合わない場合は、1名でも拒否する者があれば再考となる。逆に、拒否がない場合は、ほかのメンバーの見解や意見も聞いた上で、案件や事業を進めることになる。

こうした議決方式は、相互の信頼関係の上にある。

若い二人の経営者は、自分たちでは創業はできなかったと考えており、創業者夫婦のほうはなんとか会社を維持こそしてきたが、自分たちには現在のような緻密で高度な事業展開はできなかったと認識している。

こうして双方が認め合う結果、会社やメンバー、さらには顧客、社会に大きな危険や迷惑などが発生しないと判断されれば、お互いに評価し認め合って、無意味な拒否はしない関係が出来上がっている。

息子たちの中長期計画――「一発ベンチャー」の封じ込め

創業以来、財務的に苦しい時期が長かった。そのため創業者の私とマネージャーは、何かをきっかけに急速に業績が伸びることを期待しがちである。

だが、現・ネオレックスの若手経営者たちはそうした期待をしない。中長期計画に準じての堅実な経営を目指している。

例えば、iPad用のアプリである「タブレット タイムレコーダー」は、3人までならお試し価格として無料で提供している。10人までは1万円、30人なら3万円で導入できる。月額料金も発生しない。

こうした価格政策も奏功してか、タブレット タイムレコーダーは徐々に知名度も上がり、大量にではないが、コンスタントに売れている。

そこで私たち夫婦は、「講習会を開いたり積極的にコマーシャルを打ったりして売上を伸ばせばどうか」と考えるのだが、若い二人は「スマホの分かる人が便利に使って、口コミで広がるのを待つ」という考えだ。

「関わりをもった人はすべて、幸せであってほしい」

これは、若い頃からのマネージャーの思いで、ネオレックスの経営陣もこの考えを忘れることなく尊重している。

長く、私とマネージャーが応募してくれた学生さんの面接をしていた。

簡単なテストをしたのち、話を聞く。生い立ちや家族、学業について聞く。聞いているうちに親身になってしまい、学生さんの反応を見ながら、こういった点が魅力的だが、こういった点を直したほうがいい。この話はしないほうがいい、などとアドバイスを始めてしまうことが多かった。

忠告とはいえ、あまりの直言に涙を流す女子学生も中にいたが、そうした娘さんも含めて、応募してきた学生たちの多くは真剣に私たちの話を聞いてくれた。


私とマネージャーは本音トークが得意。

会社のメンバーにも、いつもマネージャーが声をかける。例えば、休暇願を持ってきた人に「旅行？　誰と？　何かいいことある？」

それって聞いてはいけないことかも、などと思わないでもないが、「楽しいことは共有させてほしい、心配事なら力になりたい」。そんなマネージャーの思い入れパワーでどんどんメンバーと胸襟を開き合ってきた。

当社で初めて子どもが生まれてパパになったのは健児君。長男の拓海君が1歳の誕生日を迎えたとき、マネージャーが絵本をプレゼントした。その後に生まれたメンバーのお子さんにも全員、毎年の誕生日に本のプレゼントを続けてきた。

その数もこれまでで200冊以上となった。このプレゼントがきっかけで本が大好きになった子の話や、読書感想文で入賞した話を電話で聞いて、私たちもママと喜びをともにしてきた。

最初にプレゼントを受け取ってくれた拓海君も、今や社会人。名古屋大学を卒業して大手企業のＩＴ部門に就職した。本が勉学のきっかけになったかもしれないという思いと同時に、拓海君が父である健児君と同じ道を選んだことをとても嬉しく感じた。

ネオレックスでは「メンバーは家族」という意識が浸透しており、ファミリーデーの家族招待日に子どもたちや奥さんはもちろん、メンバーのご両親の参加もあるなど徹底しているのは、まさに「マネージャーの思い入れパワー」が原動力だと思っている。

『ニッポン 子育てしやすい会社』（刊：商業界）という本が出ている。この本は、「人を大切にする経営学会」を設立された経営学者・坂本光司先生のご著書で、社員の家に子どもが多い50社ほどの会社を紹介している。一家族平均２・33人のネオレックスは、掲載企業中で最多であった。

第6章

「やらされ仕事」ではなく「任され仕事」を！

【ネオレックスの働き方】

この章では、私たち創業者がメンバーとともに創り上げてきたネオレックスらしい働き方や、社内の雰囲気などについて述べていきたい。いわゆる企業文化や社風に触れることになろう。

ご存じの方もいらっしゃると思うが、先ほど述べた坂本光司先生らが運営する「人を大切にする経営学会」では、「日本でいちばん大切にしたい会社大賞」を毎年実施している。表彰の対象となるのは、学会が定めた、企業が本当に大切にすべきことの5つの条件を守り、社員とその家族の幸福、外注先とその社員の幸福、地域社会の幸福を実現する行動を継続している会社だ（学会ホームページより）。

ネオレックスは、平成29年（2017年）に、このコンテストで審査委員会特別賞を受賞した。なぜこの会社が「日本でいちばん大切にしたい会社」の一つだと評価していただけるのか、その一端でもお伝えできればと思う。

チャンスは自分で創る

手を挙げた人が担当

まずは、ネオレックスでの働き方として、すべてのメンバーが理解している「手を挙げた人が担当」という基本ルールからお話ししよう。

あるとき、バイバイ タイムカードのサーバーシステム内でPDFファイルを生成するモジュールの性能が社内で話題となった。ご利用いただくお客様が増えていく中、動作速度が十分でないという。

だがそのときは、開発に当たるべきエンジニアがみんな忙しく、新たに開発を行う余裕がなかった。

そんな中、手を挙げたのが、開発チームではなく、品質管理チームにいた若手の山下君。ちょうど年末の折、正月休みの間に自宅で開発してくるので、担当させてほしいと言う。

それなら、とソースコードを渡したところ、山下君は正月明けの仕事始めの日、大幅に性能を向上させたまったく新しいPDF生成モジュールを携えて出社してきた。

こうした取り組みによって、彼は自らの手で、希望していた開発チームへの異動を勝ち取ったのだった。

ちなみにこの山下君、ネオレックスで最初にMacでの開発を始めたメンバーでもある。ある社内の飲み会で、「Macやってみたい人！」というCEOからの呼びかけに即座に手を挙げたのは社内で有名なエピソード。数日後には、彼の机にネオレックス初となるMacが届いた。

これをきっかけに彼は、ネオレックスにおけるｉＰｈｏｎｅ、ｉＰａｄ向け開発の第一人者となった。自己管理アプリ「ＭｙＳｔａｔｓ」や、「バイバイ タイムカード」のｉＰａｄ用タイムレコーダーアプリも、その後に生まれた新規事業の「タブレット タイムレコーダー」なども、すべて山下君が主担当として開発している。そして今では、国内でもトップレベルのｉＯＳアプリの開発者となっている。

なんでも自分から手を挙げた人が担当する。これが、ネオレックス流の働き方の基本になっている。

ネオレックスの文化——なんでも創っちゃおう

仕事をこなしながら「面白開発」に挑戦——ＵＮＴＨＴＡ活動

「アンダー・ザ・テーブル」という言葉がある。

昔からある言葉で、文字どおりに取れば「机の下でこっそりやる仕事」（またはワイロ）という意味になってしまうが、いい意味で、「自主的に進める研究開発」のことも指している。

このいい意味での用法は、東芝で始まり、広まったものと聞いている。

イメージとしては、会社が立ち上げた開発テーマは机の上で着々と進める一方、自分が関心のあるテーマについて独自に研究開発をやってみる。そして、その独自テーマに見込みがあれば、折を見て会社に提案する。そういう仕事の進め方だと思う。

この「アンダー・ザ・テーブル」に、ネオレックス流の意味を加えて再解釈すると、「現在または将来、役に立つかもしれないことに、仕事に支障がない範囲で取り組むこと」。その意味で用いている「UNTHTA（アンスタ：UNder THe TAble)」という言葉は、社名のネオレックスと同様の略語的な造語である。

これを会社としても大いに推奨していて、わざわざ「UNTHTA室」まで設けてある。もっとも、全社的に自分の席に縛られない柔軟な働き方（後述するABWスタイル）を取り入れているので、この部屋も工作室や会議室の一つのように利用している。要は、本業の開発もUNTHTAも、めいめい思い思いの場所で進めているわけである。

ネオレックスのUNTHTAの起源は、マイクロバーコードの事業展開を模索していた頃にまでさかのぼる。

当時、私は毎週3日、東京へ出かけて仕事を探していた。その際、名古屋の会社にいるメンバーが手持ちぶさたになるようでは困るので、苦し紛れに、「みんなも何か考えよう」などと言ったのだと思う。裕樹君によると、その頃、私は「UNTHTAは仕事時間の

20％まで」と言っていたそうだ。

自分がそう言ったこともいつしか忘れてしまっていたが、今、改めて考えてみると「本業8対UNTHTA2」は、なかなかいい時間配分とも言えそうだ。

ひょんなことから「ながら仕事」解禁——これもUNTHTAの成果

ちなみに私は、「ながら仕事」ができない。特に音楽を聴きながら仕事をすると、気が散ってほとんど集中できなくなってしまう。

最近はラジオや音楽を聴きながら受験勉強をする人も多くなったが、それが当たり前の時代になることは、だいぶ前から分かっていた。だが、社内にBGMを流すことで働いている人全員が快適になるとは、どうしても思えなかった。

会社で「BGMを流してほしい」といった要望があっても、すべて拒否してきたのは、それが理由である。

だが、この「大原則」が数年前、あるきっかけにより遂に破られることになった。それも、UNTHTAの一つの成果と言ってよいだろう。

ある日、裕樹君が、「提案がある」と役員室にやってきた。

持ち込んできたのは自作のアンプ。10センチ角ほどのプリント板が2段になっていて、上の板の中央に真空管が赤く光っている。自分で設計し、部品を集め、中国・深圳市で安くプリント基板を作ってもらったということだった。

聞けば、スマホなどの音楽をヘッドホンで聴く仕掛けだが、外からの声を拾うマイクも付いている。そして、誰かに声をかけられると自動的に音量が小さくなり、話しかけた人の声がヘッドホンに流れる仕組みになっているとのこと。

見かけはコンパクトで、机の上に置いても邪魔になりそうではない。真空管の赤い光がほのぼのと印象的で、まあいい感じではあった。

裕樹君が創ってきたアンプを見て、彼の話を聞きながら、私は内心ワクワクしていた。

近年、ヘッドホンを利用して、音楽を聴きながらの自転車運転や、動画を見ながらもしくはゲームをやりながら駅のホームを歩くといった「ながら行為」は危険だと指摘されている。

この発明は、そうした交通リスクの軽減にも役立つかもしれない。そして、「この装置の機能は、スマホとアプリだけでも創れそうだ。ひょっとしたら世界中に広がるのではないか⁉」

頭の中でそんなことを思っていた私は、「そのアイデアと努力は買いましょう。試験的に使ってみたら？」と伝えた。裕樹君は、嬉し気に開発室の自分の席へと帰って行った。

しばらくして開発室へ行ったところ、何人もの机の上に音量調整機能付きアンプがあった。言うまでもなく、裕樹君の指導のもとに開発メンバーが作ったもの。

私は「自分一人だけで、試験的に使ってみたら？」と言ったつもりだったのだが、時すでに遅し。彼のアンプはいつの間にか開発グループですっかり普及してしまっていた。

結局、ほかのメンバーも、このアンプを使いたければ自分で作ってよいことになり、マネージャーがポケットマネーで希望者に部品を提供した。

そうして何人かが自分で製作した「ながら仕事アンプ」の活用を始めると、そのうちなし崩し的に、普通のスマホで音楽を聴きながら仕事をしてもよいことになってしまった。

平成28年（2016年） 裕樹君のUNTHTA作品。これがきっかけで業務中に音楽を聴く「ながら仕事」もOKの会社に……

そんな苦い（？）思い出もあるＵＮＴＨＴＡだが、仕事を任され、前向きに取り組んでいるメンバーの頭の中で、今日も改善や発明のヒントが生まれつつあると思うと、実に楽しみであり、頼もしく思うところ。

なんでも楽しく創っちゃう、社内工務店――佐原好務店

またネオレックスには、組織図上は非公式ながら、社内の「創造的便利屋さん」として

機能している一つのチームがある。

人呼んで「佐原好務店」。その中心人物である佐原君は、私のヨットのクルー（乗組員）となった最初のメンバーでもある。

自ら志願し、申し出てきたはよいものの、見習いクルーとなった佐原君は、毎回、海に出て30分以内に船酔いでダウン（前日の深酒のせいで二日酔いの要素もあった）。静岡県下田から三重県志摩への外洋航海のときなどは、夜間だったこともあるが、ずっと「寝る役」を務めていた。

その佐原君も、今では立派なクルーとなり、ヨットの整備もお手の物だ。

ヨットは、外洋で不具合や故障があったときなど、すべてのことに自力で対応しなければならない。特に私は、前述したように、木工、電気、設備など、ひととおりなんでも自分で立ち向かうことにしている。

当然クルーにも、その流儀に従ってもらうわけで、佐原君の後から参加してきた数人のヨット部メンバーにも、まずは整備からやってもらっている。

その流れで、社内で必要となるさまざまな工作にも取り組むようになり、その集団が「佐原好務店」と呼ばれるようになったのだ。

豊富な好務店の作品──家族も交えて

この好務店の方針は、「面白そうで、できそうなものは、なんでも自分たちで創っちゃおう」。その実績は豊富で、両手の指でも数えきれない。

そもそもネオレックスの施設・設備には、思い入れと手造り感がいっぱい詰まっている。従って佐原好務店が力を発揮する対象も満載なのだ。

メンバーが日頃の仕事場としているのは、次のような3つの建物。それぞれに、建築したときの状況と事情による特徴がある。

ネオレックス創業直前の昭和62年（1987年）に、駒井家の自宅の北側に建設したのが、狭いながらも4階建て（地下とロフト付き）の「北棟」ミニビル。

その10年後、自宅の南側に、照明以外は配管なしなど超ローコストで建設したのが、7階建ての「南棟」本社ビル。

その後10年ほど、我が家は会社の二つのビルに挟まれていたが、メンバーが増えて手狭になったのを機に、仕掛けがいっぱいの自宅も会社に明け渡し「中棟」とした。そして、全部屋を仕事場に改造すると同時に3つの建物を連結したのである。

この3棟を舞台に、佐原好務店が中心となって残してきた主な実績を挙げてみよう。

- 北棟にあるUNTHTA室の木製床造り
- 南棟6、7階の電気・LAN配線とパンチカーペット貼り

●中棟内の電気通信回線設置（配管の代わりの壁に配線板方式）
●ロフトのちゃぶ台テーブル製作（業者さんに予算40万円と言われたものを1万円程度の材料費で完成）
●自転車置き場の雨だれ防止工事（畳のようなステンの受け板をネットで依頼して作り、取り付けたもの）
●同じく自転車置き場のスタンド
●全室に設置したサテライトモニター取付パネル
●iPad付属FeliCaリーダーホルダーを3Dプリンターで量産
●中棟の部屋表示パネル（新人のアシスタントが設計してホームセンターの工作室でレーザー加工したもの）

これらに加え、新しいネオレックスの拠点であるNX熱田神宮ビルの設備造りでも、佐原好務店は大活躍した。

このビルは、2年後に人員増でメンバーが収まりきれなくなるのを見越して平成30年（2018年）に購入したものだが、ABW室（後述）製作、NX Jingu Hallの天井ルーバーや90人分収容の下駄棚製作、カラス追い払いシステム開発（継続中）など盛りだくさん。

ロフト（ちゃぶ台付き）

ライブラリー（専念ルーム）

キャビン（社内情報交換サロン）

バース（テレビ会議室）

連結した本社ビル

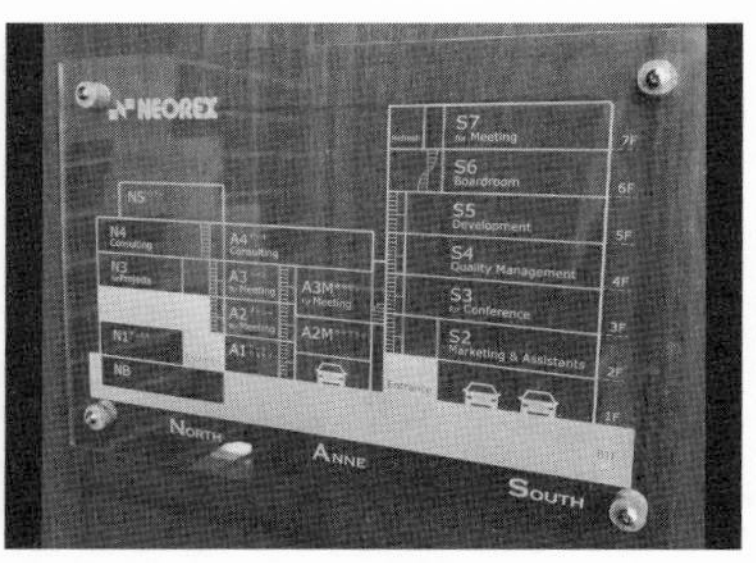

部屋表示パネル。この館内案内パネルは新人のアシスタントがデータを作成して近くのホームセンターで彫刻したもの

こうしたさまざまな工作作業に、必要な場合はほかの若手メンバーの協力も要請しながら取り組んできた。応援を要請された側は、仕事に支障がない範囲で、自分の裁量で参加を決める。

そのように協力を要請する際、佐原好務店が最も大事にしているのは参加したメンバーに「面白かった」と言われること。時には、メンバーの家族が共同作業に参加することもあり、こうした手造り作業がメンバーのお子さんたち（未来のお父さんやお母さん）の経験にもなればと思っている。

令和元年（2019年）佐原好務店、Hallの天井ルーバー取付中

出来上がった NX Jingu Hall で恒例のネオレックス年末打ち上げ会

NX熱田神宮ビル 外観

全社を挙げて「自分たち」で蛍光灯をLED化

本社ビル（南棟）の照明の改良にも、ネオレックス持ち前の「自分で創ってしまおう」精神が存分に発揮された。

本社ビルが建ってから14年目の平成23年（2011年）、東京大学卒の杉原君が「自分で創ってしまおう」精神に共感して？入社を決めた年のこと。ビル内全5室の蛍光灯のLED化に取り組んだのである。

これもやはり「面白そうで、できそう」だったから。

電力消費が少ないLED照明は、ご存じ発光ダイオード（LED）を利用した技術だが、本格的に導入しようと思ったら、既設の蛍光灯（交流電源）をLED照明用（直流電源）に置き換える工事が必要だ。

とはいえ市販のLED管には、蛍光灯設備はそのままに、元の蛍光管と取り換えるだけでOK、節約になるというものも売り出されている。

この場合、蛍光灯器具に内蔵されている安定器（トランス）には従来どおり電気が通っているわけだから、本当の省エネにはなっていないと、かねがね思っていた。

また、市販のLED蛍光灯には、交流を直流に変換するコンバータ回路や、一定の安定した電流を流すための定電流回路などが内蔵されている。大量生産で原価はある程度抑えられているとは思うが、やはり無駄な機能に思えて気になっていた。LEDは直流で点灯する。であれば、照明器具に送る電気を元から直流にしてしまえばいいのではないか！

そのうえ、電流制限を抵抗で行えば、定電流回路のような電子回路も不要、抵抗値はオームの法則で決めればよい！

そうかねがね思っていたところ、通販で安価なLEDを見つけたので、早速この発光ダイオードを４９６０個調達。それを使って、本社ビルにある１６６本の蛍光灯を「直流駆動制限抵抗方式」のLEDに変更することにした。

土曜の出勤日や年末の大掃除を早めに終えるなどして時間を捻出し、臨時に造った作業台で全員が１６６本のLED管の製作作業に当たった。

長さ１・２メートルほどのステンレス板を台形に曲げ、LEDを取り付ける角穴を32個開け、従来使っていた蛍光管を割って取り出した両サイドのプラグをステンレス板に接着剤で取り付ける。その１本のLEDステン管に、16個のLEDと9オームの抵抗を直列につないだ回路を2系統組み付けた。

一方、配線係は、天井裏を調べて配線を確認し、照明のスイッチの後ろに直流電源を取り付けて、通常の交流１００ボルトの代わりに直流26・6ボルトを送電した。

各階系統別にスイッチがあるので、合計14個の直流電源を取り付け、従来の蛍光灯器具の配線も変更した。これらの配線や取付工事は、なぜか社内に2名もいた電気工事士免許を持つメンバー（その一人は私）の指導で行われた。

2回の失敗、でもアイデアは間違っていなかった

これらすべての製作と取替工事を終え、本社ビルの照明が見事ＬＥＤに切り替わった。ところが、その後しばらくすると、各部屋の雰囲気がだんだん「落ち着いた感じ」になり、遂には「暗い」ということになった。

ＬＥＤの劣化が原因だと思い、急きょ対策を考えた。ひとまず応急措置として全員のデスクに卓上照明スタンドを配備するとともに、全館の照明を改善することにした。

熱による劣化ではないかとの意見があり、計算をした裕樹君から、ＬＥＤに5平方センチの放熱板が必要との指摘が出た。そこで、銅板で放熱板を製作することにした。あるアシスタントのお父さんが簡易な金型を作り、家族で５０００個を超える放熱板を作ってくれた。

こうして１６６本すべてのＬＥＤ蛍光管を放熱板付きに取り換えるとともに、念のため半数に定電流電源回路を入れた。

だが、２種類の新型蛍光管に交換した我らがＬＥＤ照明も、やはり数カ月すると薄暗くなり、再び失敗となった。

そうこうしているうちに、たまたま広告でフィリップス社のＬＥＤ蛍光管がモニター価格として３０００円（当時としては破格の安値）で販売されていることを知った。そこで今度は、直流配線を交流に戻し、蛍光灯の改造をし直し、このＬＥＤ蛍光管を購入して、現在に至っている。

このとき、社内の１ブロックの８本だけ、最初の構想で作ったＬＥＤ蛍光管を残しておいた。オームの法則を応用し、抵抗による電流制限方式で、国産ＬＥＤ素子を使ったもの。実は、その蛍光管は間もなく10年になるが、今も暗くなることなく、南棟５階で明るく点灯している。

結果として分かったのは、オームの法則ＬＥＤの発想は間違っていなかったものの、中国製の粗悪ダイオードを使ったことが失敗の原因であったことだ。熱も何も関係なく、単に超短期間で劣化した。あのときＬＥＤの安物買いをしたことを、今も残念に思っている。

だが一方、社内の全員が協力して半田ゴテを持ち、テスターを使って検査をしたり、金型を使って放熱板を作ったりしたことは貴重な経験になったと思っている。将来、家庭で「なんでもできる頼もしいお父さんお母さん」になってもらうことにもつながるのではないかと、密かに期待している次第。

専念部屋――気が付けばABWだった

生産性を上げるには仕事に専念することが必須。それが私の信念で、いかに専念するかが勝負だと昔から考えていた。

まだ社内で箱型のテレビモニターを使っていた頃の話だが、私が専念中のサインを決めて、メンバーに周知していたこともある。「このテレビの上に黄色いコーンを置いたときは、専念中だから声をかけないでね」というルールであった。

その後、専念専用の部屋を造って、メンバーが誰でも使えるようにした。もちろん、その「専念部屋」には電話をつながない。

自宅を改装した中棟ができてからは、私の昔の書斎兼開発室を「ライブラリー」と称する図書室兼用の専念部屋（定員3人）としたが、このスペースは好評で利用者も多い。

ほかにも、居眠りしたいときに利用するハンモック装備の「リフレッシュルーム」、開発や設定メンバーが集まって一気に仕事を進める「合宿ルーム」、午後3時になるとスカイプで誘い合ったメンバーが集まる「筋トレコーナー」なども順次生まれた。

以前から、一部の企業にフリーアドレス方式の勤務スタイルを採用するケースが見られた。決まった個人のデスクを持たず、使うデスクをその都度自由に選んだり、大きなテーブルを囲んだりして仕事をするものだ。

それに対してネオレックスの場合は、各自に自分のデスクはある。だが、どういった作業をするかによって、自席とは別に用意されているさまざまなスペースから、その作業に適した部屋を選ぶ方式である。ＡＢＷ（Activity Based Working）と呼ばれる働き方だと後から知った。

このシステムを構築したのは、連結本社ビル内でのことだったが、近くに新たに取得したＮＸ熱田神宮ビルでは、一つの部屋でＡＢＷを実現した「プロジェクトＲ」（ＰｒｏｊｅｃｔＲ・５０１）を新たに創った。この「Ｒ」、深い意味がありそうだが、実はルームの頭文字である。

メンバーそれぞれの力と生き方に合った働き方

サテライト勤務――３つの約束で長期の実績

この本を執筆している今、世界は新型コロナ禍の中にある。そして、急速に一般化してきているのがテレワーク。ネオレックスでは、「サテライト勤務」「遠隔勤務」などと呼び、早くから独自に整備してきた。

メンバーの中に、７年ほど名古屋で勤めた後に、遠隔地で働くサテライト勤務を希望する人が現れた。結婚に伴い、奥さんの実家近くに引っ越ししたいとのこと。本社から遠く離れた三重と和歌山の県境、南紀にある海沿いの町に住みたいという。

平成16年（2004年）4月のことで、当時から「なんでもあり会社」だったから、話し合って3つの約束をしたうえで承認した。その条件とはこういうもの。

①生活と分離した仕事部屋があること

②本社との相互モニターシステムを設置すること

③本社への復帰を命ぜられた場合は応じること

それから15年以上経つが、今も南紀に住む彼、畠山君には子どもが4人生まれ、地域のバンドに所属し、誠に楽しくやっている様子である。毎日の朝礼には、本人があたかもそこにいるがごとく、畠山君自作のアバターが本社で朝礼に参加している。このアバターは、自立スタンドにモニターとカメラ、マイクが付いたもの。

このサテライト勤務のケースが成功しているのは、第一に当のメンバー畠山君の人柄や素養が優れているためであろう。勤務時間途中に留守番や子どものお迎えといった家の用事も時にはあるようだが、自主管理に任せていて問題になったことはない。

そして、第二の成功要因は、ある程度高速なネットの接続環境だと思っている。

なお、畠山君自身によると、遠隔勤務に大切なことは「相互モニターによる一体感、緊張感」と「途切れない仕事量」だそうである。

畠山君だけの特別体制であったテレワークだが、新型コロナの影響もあり、今ではネオレックスメンバーの9割以上が経験している。

テレワークに慣れないと多くの課題が出るが、ネオレックスでは比較的スムーズに取り組んでいる。例えば服装。世間では、テレワーク時のあるべき服装について議論が起こっていたが、ネオレックスでは畠山君の「職場にいるのと同じ服装でテレワーク」という実績があり、議論になったことはない。このように、長年の経験と実績が生きている。

テレワークは今後も、ネオレックスが継続的に取り入れていく働き方になると思われる。さらなる拡充、定着に向けて「一体感と緊張感」「途切れない仕事量」といった畠山君の知見やさまざまな経験を全メンバーが受け継ぎ、生かしていってほしいと思う。

「人気チャンネルは役員室です」——サテライトモニター

社内の相互モニターシステムも、当初から導入している。

現在のネオレックスは、ミニビル（北棟）、本社ビル（研究開発棟・南棟）とかつての自宅（中棟）をつなぎ合わせた構造なので、小部屋が多く17室にもなる。

この構造上の理由から、社内の連絡をよくするために前述したモニターシステム（155ページ）を構築したのだが、今では南紀のサテライトオフィスや東京のショールーム、新しいビルの部屋などにもネットワークが拡張してある。

すべての部屋の1、2カ所から送出した映像を、リモコンで呼び出して見ることができる。これにより、各部屋のメンバーの所在や、ミーティングなどへの参加状況を簡単に見て取ることができる。

実は、このシステムもUNTHTA作品。

そもそもは我が社の発明「インラインサテライトシステム」に始まり、ミニビルで重宝していたものだが、今ではさらに改良された「サテライトモニター」として、ネオレックス施設のすべての部屋で活用されている。本社ビルができて部屋数が増加し、社内ネットも充実したのに伴って、杉原君がラズパイ（ラズベリーパイ）という小型コンピュータを使った映像の送出とLANによる伝送、リモコンによる画面選択を可能にしてくれたものだ。

平成10年（1998年）　サテライトモニター。伝馬町の3棟と南紀のサテライトオフィスを結んでいたものが、その後、NX熱田神宮ビルとNX神楽坂ビル（令和2年〈2020年〉取得）も網羅。全社の30室以上すべての部屋で作業中のメンバーの状況（声を掛けてもいいか？など）を、PCやリモコンで切り替えながら各室の大型モニターで見ることができる

あるとき、会社に来られたお客様に、「監視システムのようですね」と言われたことがある。そこで、「人気チャンネルは、この役員室です」とお答えした。

そもそも、このシステムは社内に「一体感」を現出するもので、はなから監視という発想はない。その証

拠に、お客様が役員室に見えて会話が弾んだ後などに、私とマネージャーがメンバーから「盛り上がっていましたね」と言われることもある。もしあえて監視システムと呼ぶならば、監視されているのはむしろ、我々役員ということになる。

ネオレックスにおいて、相互モニターはメンバーのステータス（状態）を知る貴重な手段となっているが、現状のままで十分ということはないと思っている。そして相互モニター以外にも、改善できることはたくさんある。

例えば、別室のメンバーがあたかも横にいるような感覚が得られれば理想だし、会議室の予約状況のような頻繁にアクセスする情報には、キー操作ではなく一発アクセスができるとよい。

私としては、マイクロバーコードやＯＴＴＯなどの旧来の技術を生かすリユースエンジニアリングのＵＮＴＨＴＡグループが立ち上がって、「誰もがパソコンで感動し、活用できる」世界を実現してくれることを夢みている。

求める仲間の資質は「人柄」と「積極性」

ネオレックスの採用業務は、以前は専ら役員が担当していたが、近年は若手のメンバーが会社紹介や社内見学の案内を担当している。

人材を選ぶ際に重視している判断基準は、第一に人柄、特に協調性。そして、コンピュータが好き、チャレンジが好き、自分の考えで行動できる、といったことになる。地頭がよいとか、一芸に秀でている人にも魅力を感じる。受験勉強一筋で学業優秀校に入った人よりは、趣味やクラブを楽しみながら進学した人が多い。

私の経験から、あえて進学の秘訣を若い人たちにアドバイスするなら、「自分の学力より少しでもいいから、レベルの高い学校を目指せ！」

興味が持てて面白そうな講義には積極的に参加する。

そして、せっかくいい学校に進学したなら、「つべこべ言わずにともかく卒業する」ことが大事である。

自分からの「元気な挨拶」で人間関係を円滑に

「小さな会社だから誰でも入れてもらえるのだ」と、勘違いしたままネオレックスに入社してきたメンバーも中にはいるが、現実はまったく異なる。

毎年百人近くの応募があり、数十人の面接をこなしている。実際に採用するのは数人だが選考はしっかり行っていて、一人の面接が4回を超えることもある。判断基準に至る人がいない場合は、予定していた採用人数に達しなくても、その年の採用活動は終了する。

入社してきたメンバーに後から聞くと、「いい会社だとは思っていたが、入ってみたら想像以上にいい会社だった」との感想も多い。

そのように「いい会社」と感じられるかどうかは、言うまでもなく、どんな人間関係を築けるかにかかっている。

新しく入社してくる新卒メンバーの多くは、それまで社会との接触が少なくて当然。そこで例えば、「挨拶は元気に！」と言っても、それまでの生活環境からか、それとも本人の性格からか、なかなか定着しない人も多い。

だが、そうした場合の解決方法は簡単。先輩や古株のメンバーから元気に声を掛ければよい。我が社の場合、マネージャーの元気が大いに役立っている。

また、挨拶をする前には、その相手に何かお礼を言うことはないか、一瞬考えることを私は推奨している。これもなかなか定着しにくいが、ぜひ身につけてほしい習慣だ。「昨日はありがとうございました」が言えるだけで、人間関係は大いに好転する。

こうした感謝の言葉を日頃から口に出していくことによって、お互いに不満や不平を感じたり、文句を言ったりすることが減り、感謝と思いやりの心を持って接することができるようになる。

ネオレックスは、今後もぜひそうした人材の集まりであってほしいと思う。

ホウレンソウを超え「主体的判断」での仕事を

仕事をスムーズに進めるには、昔からいわゆるホウレンソウ、すなわち「報告・連絡・相談」が大切だと言われている。

ネオレックスでは原則として、メンバーの一人一人が主体的に判断することが基本と考えられているので、ある程度ホウレンソウを実践していても、「おいおい、そこまでやっちゃったの?!」ということが起きる。

私は、何もしないよりは、むしろやってしまったほうを推奨する考えなので、「やり過ぎでもよし、お客様に迷惑をかけてしまったときは私が謝る役」と思っている。

しかしながら、新人は、最初から報告や連絡、相談の範囲やタイミングを身につけているわけではないので、大きな失敗もしがちである。

そうしたときによく話すのは、①お金がかかる、②周囲の仲間の仕事に影響する、③対外的な会社の印象に影響する、これらに該当しそうなときは、あらかじめ根回しをしようということ。

原則やルールがあっても、その完全な実行は実のところ難しい面もある。ベテランメンバーでも、仕事の進め方やホウレンソウの実践の仕方には個性が出ていると感じる。私としては、ともかく前向きにチャレンジし、失敗もうまくいったケースも糧にして、間違ったと思っても速やかなリカバリーができるメンバーになってほしいと思う。

夫婦の役割分担はいつの時代も大事――主夫と主婦

メンバーが、時差出勤したり、早退したりすることがある。理由を聞いてみると、子どもの病気のほか、幼稚園や小学校の行事ということも多い。そして、「奥さんが仕事を休めないので旦那が行く」というケースも少なくない。

昔なら考えられなかった理由である。私が若かった頃は、たとえそうした「家庭の事情」があったとしても、口には出さないのが世の風潮だった。

確かに、奥さんが担当を抜けたら勤め先のシフトが回らなくなるとか、小規模の会社に勤めていて代わりがいないというケースはあるだろう。それに対して、ネオレックスの自由度は比較的高い。

ネオレックスのメンバーにとっては、設定されたスケジュールをキープして、よりよい成果を生むことが使命。そしてその実現方法には、各自の自由裁量部分が大きい。

要は、月単位の勤務時間制なので、働く時間帯もある程度自由。変則的な勤務も、朝礼で「朝6時に早出しました」とか「16時に早上がりします」などと発表すればよい。関係するメンバーとの連携や進捗の確認は、ミーティングだけでなく、メールやチャットでもできる。お客様や仲間に迷惑をかけなければよい。

こうした方式を採っているうえ、さらに「残業を減らしましょう」とも言っているので、勤務時間の調整は、よその職場より行いやすいと言えるだろう。

旦那さんがネオレックスのメンバーなら、よその職場で働く奥さんは、夫を頼りにすることができる。広い意味での社会貢献とも言えるだろう。

だが一方で、「うちの人は、何でも私の都合を優先してくれるから便利……」といった甘えを家庭内に定着させるのは望ましくないとも思う。

時代はずいぶん変わった。主に家事をするのが夫か妻か、今は家庭によって異なることだろう。

昔、結婚式で「家長は家庭の経営者」といった祝辞を述べていた。夫が家長であることを前提として、「旦那さん頑張って」「奥さん、支えてあげてね」とエールを送っていたつもりであった。

今、同様の思いでスピーチをするなら、「家長は夫でも妻でも構わないが」と添えることになるであろう。いずれにせよ、家族のリーダーが、5年、10年という長い視野で将来を見据え、子どもの成長や家計の変化、老後の生活などを考えながら、堅実に家庭の経営や意思決定をしていってほしい。

そして、主婦でも主夫でも構わないが、お互いと子どもたちのためになる、いい役割分担をしてほしいと思うところ。

「それでは出世できないぞ」、昔ならそう言うところだが……

毎年、年始の恒例行事がある。

朝の年賀式で仕事に関する今年の抱負を発表し、その日の午後、熱田神宮へ初詣に行く。その後、夜開かれる新年会では、全員が一人一人「宣言」として、その年の個人的な抱負、希望、夢を発表する。

最近、その新年会で、「育休を取る！」と宣言したメンバーがいた。男性社員ではそれまでになかった、初めて耳にする宣言だった。

彼は、奥さんが妊娠中で、具体的に出産・育児を控えている社歴5年目のメンバーだった。

機会があったので話を聞いてみると、半年後の出産に向かって育休制度を熱心に研究しているようだった。男親を対象にした育休サポートがいろいろあるらしく、それを有効活用する計画を話してくれた。3カ月間、育休を取るという。

その際、「あのな、君、それでは出世できないぞ！」と、私は思わず口にして、とっさに「昔なら……」と付け加えた。

そもそもネオレックスには中間管理職もなく、出世という概念もあまり顕著には存在しない。それは、会社が小さいからではなく、その必要がないからだ。ポスト、ポジションにかかわらず、実力次第で活躍できる。

ぎょっとさせられた男性社員の育休宣言だが、ま、それもいいだろう。それぞれが多様な働き方を模索しながら活躍してくれればいい。お手本となるような育休を実施して、後に続く後輩のよい模範ともなってほしい。

スムーズな産休・育休取得のために――「私に任せてください仕事」を

もう一つ、育休の話。昨今は産休・育休の取得が奨励されているが、企業での実際の運用には、極めてデリケートな問題が伴う。ネオレックスでも、今後、高齢メンバーの働き方とともに、考えていかなければならない課題だと考えている。

例えば、こんな話を聞いたことがある。

中規模の塾で、塾長が育休を取り、新たな塾長を採用して代わりに充てたという。だが、国のルールでは、前の塾長が育休明けで職場復帰した際に、休職前の職務からの異動や給与の変更は許されないとのこと。

では、新たに採用して補充した塾長の処遇は、どうすればよいのであろうか?

このように、大企業ならともかく、少人数の会社では、想像するだけでも大変な事態が発生する可能性があるのが産休・育休制度である。

ネオレックスでは、そうした事例の経験が大企業のように豊富にあるわけではないので、あまり多くを語ることはできない。

だが、数年前にネオレックスで初の1年間の育児休暇を取得したアシスタントメンバーが休暇明けに復職した際、「仕事が新しくなっていて、勘を取り戻すどころか、すべて新しく覚えなければならなかった」と感想を述べていたのが印象的だった。

そのときに私が話したのは、「①緊張感を持って前向きに取り組み、②成果を上げて評価を受け、③私に任せてください仕事を創る」ということだった。

ネオレックスには、「メンバーは家族」というポリシーがある。従来どおりに働くことが難しくても、育児に手のかかる時期が過ぎるまではお互いに見守るのが基本である。

ただ、産休・育休や時短期間などが過ぎ、本格復職する際には、なんとか工夫をして「私に任せてください」と言える仕事を創り出してほしい。やりがいも強まるし、本人の働きやすさにもつながるはずだ。

週休3日で「趣味に生きる人生」を試してみたら

次は、ネオレックスにおいては、こんな特殊な事例も飛び出すという話。

あるとき、「趣味に没頭してみたいから週休3日にしてほしい」と申し出てきたのは川畑君。その分、給与は減ることになるが、本人いわく「生活できるだけの給与があればよい」とのこと。

経営会議で諮ったところ、「ま、そんなメンバーもいていいか。やってみよう！」とすんなり承認された。とりあえず有休を活用しながら「模擬週休3日制」を試してみることになった。

そうして1カ月半ほど過ぎた頃、やはり通常勤務をしたいと本人から申し出があって「お試し期間」は終了した。本格的な週休3日制の実施には至らなかった。

ちなみに、川畑君の趣味は、パソコンで精細な人物画を描くこと。模擬週休3日勤務から1年ほど経った新年会で、彼の作品がプロジェクターで披露された。それは、彼の作品が採用された横浜の大手百貨店のポスターだった。ビルを背景にした女性の群像が描かれており、ほかのメンバーの歓声と拍手が起こった。

川畑君の仕事は、既存ユーザーのフォロー。各社の勤怠制度の改定に対応したり、常に改善が図られているバイバイ タイムカードの新しい機能を紹介し、希望があればその機能を提供したりしている。

週休3日を経験した後の川畑君は、朝礼での発表の内容が明らかに具体的で前向きになったと私は感じている。「もう1日休みがあったらなー」と日々思いながら働いているより、実際にやってみたことが、本人にとっても会社にとっても、とてもよい結果につながったと思えた。

ネオレックスでは、部門によって多忙な時期もしばしばあるが、原則として中長期計画に従い、過剰な受注はしない方針である。それが現経営陣の考え方なので、平日にプライベートの時間を取ることもできるし、もちろん週末は自由だ。たとえ休日出勤があっても、多くは振替休日を取ることができる。

その時間を勉強に充てる人もいれば、趣味に没頭する人もいる。

私の場合、寝る間を惜しんで自宅で仕事をした。前職を退職するときに残してきた5つの製品は、そのほとんどが外部の力を借りながら、自宅で研究開発したものだった。

思えば研究開発はすべて当時の仕事のためであり、それ以外のテーマに向き合う暇はなかった。充実していたが、少し残念にも思うところ。

そうした自分の経験から、私には、直接は今の仕事につながらないが、将来の仕事に役立つかもしれない勉強や研究をするメンバーを応援したい強い思いがある。そのための仕組みとして、ＵＮＴＨＴＡが生きるのではないかと思っている。

「日本でいちばん大切にしたい会社」受賞

平成30年（２０１８年）の初め、りそな銀行の担当者から、「こんな研修会があります」と紹介を受けた。

「日本でいちばん大切にしたい会社大賞」に応募するための研修会のお誘いだった。

「エッ、その賞いただきましたよ」と答えたので、銀行の人はびっくり。何年も受賞のための努力をしておられる企業もあるのだと聞いた。

ネオレックスが「日本でいちばん大切にしたい会社」に選ばれた受賞理由は、高付加価値システムと、メンバーへの手厚い待遇、そして、重度障害者の雇用だった。

重度の障害を持つメンバーとは山田君。

中途入社後間もなく、技術担当の彼が目の障害を訴えた。重度の障害だと分かり、本人とこう話し合った。

「山田君、このまま仕事を続けることはできない。大企業や官公庁には障害者枠があるはずだから、明日から仕事のことはいいからその受験勉強をしよう」

縁あって入社したメンバー、すなわち「家族」となった彼に、会社としてなすべきことはそれしかなかった。「応援するから頑張ろう」と本人を励ました。

だが、1年半余り受験に取り組んだものの、官公庁への2回の挑戦はあいにく採用に至らず、目指す道は閉ざされた。

その間、必死の努力を続けてきた本人も落胆したと思うが、家族の皆さんも結果に暗澹たる気持ちだったに違いない。後に山田君のお母さんからいただいたお礼の手紙からも、その思いを感じた。

彼が懸命に努力したことは私たちが知っている、やるだけやった。それなら、後は会社で頑張ろう！

重度障害者の継続雇用。その理由は、ネオレックスの家族主義の延長であった。会社として、目にやさしい照明や専用モニター、専用ブースを造作し、アシスタントチームやメンバーによるサポート体制も組んだ。だが、何よりありがたいのは、各メンバーが自発的に山田君を支え、常に仲間の輪から外れないようにしてくれていることだ。イベントで外に出かける際も、必ず誰かが肩を貸して、一緒に参加してくれている。入社から15年目を迎えた今も、山田君は、ほかのメンバーの協力を得ながら、社内唯一の新規問い合わせ対応コンサルタントとして活躍をしてくれている。

あまり表に出ないこうした社内の空気まで評価していただいた、人を大切にする経営学会の坂本光司先生はじめ関係者の皆さんに、ここに厚く御礼申し上げる次第です。ありがとうございました。

令和2年（2020年）に完成したNX神楽坂ビルの外観と、CEOが銘文を記した入り口の銘板

↓

NEOREX

The word NEOREX is a combination of three words: NEeds, ORiginality, and EXpansive. It means contributing to the world expansively by providing original solutions that fulfill deep actual needs.
It has been the lifelong pursuit of Toshiyuki Komai, founder of the Nagoya-based IT company NEOREX.

上記の日本語訳：「NEOREX」という社名は、NEeds、ORiginality、EXpansiveの3つの単語からできている。ここには「真のニーズに応え、独創的な技術を持って、広く世界に貢献する」という意味を込めている。これは、名古屋のIT企業、ネオレックスの創業者である駒井俊之が、生涯にわたって追求してきた想いである

おわりに

新人歓迎会で、先輩メンバー全員が入社した新人と同じ数のグループに分かれて、新人がそれぞれのグループを回って先輩に問いかけるコーナーがあった。

「先輩のマネをしたい」との発言に「マネをしていては進歩がない」と思わず発言してしまった私。焦って舌足らず発言となってしまったことを悔やんだ。

「マネはダメ」と言ったのは、最初はマネでも「誰のために何をするのか？」を考えて取り組むと、次々と疑問や改善アイデアが出るはず……といった思いであった。

仕事は本来楽しいものでなくてはならない。少なくとも会社に来るのが苦痛はあり得ない。そうならないためには、何事も「任され仕事」として取り組むことが大切と思う所以。

——独立志向って、いいじゃない！

自己責任で働き、広い意味で出世して、自分の裁量を広げていけば、なんでも「任され仕事」になっていく。

――残業や自由研究もいいじゃない！

任され仕事に没頭して、改善や飛躍を楽しむ。その対価を残業代として得るのも良し、成功体験や、将来の出世、高給となって返ってくるのもまた良し。

時間や機会があれば、本業以外に関心をもって研究するのもいい。その経験が本業に生きたり、仕事の幅を広げてくれたりすると思う。

――終身雇用って、いいじゃない！

終身雇用の基本には、支え合いの精神がある。ネオレックスでは「メンバーは家族」。この世は、いつ誰が「弱者」になるか分からない。そんなとき、家族なら助け合うでしょ？

だから日本の会社は、昔から終身雇用の家族主義。バブル前まで、働くみんなが中産階級と思って、うまくいっていたと思う。

――先輩後輩の関係って、いいじゃない！

生まれや入社が先でも、前向き度合いと力量によって、守備範囲が大きく異なっていくことはありうる。それでも、先輩はいつまで経っても先輩。それが家族でしょ？

後輩は先輩を敬い、先輩はいつか自分を追い抜いてはばたくことをイメージして後輩を応援する。これ、昔流の「年功序列」の理想形。

もちろん、昔も丁稚さんと番頭さんでは待遇が違うように、ネオレックスでも経験や技能によって、社外でも自信をもって専門家を名乗れる分野を持つ「スペシャリスト」や、国内トップレベルで遂行できる業務がある「マスター」などのクラス評価が存在する。一方、同一クラス内では年功序列の昇給が原則となっている。

――家で仕事の話や勉強をするって、いいじゃない！

仕事や勉強に打ち込む姿は、パートナーや子どもから尊敬される。時には仕事の出来事や楽しさを話してあげたら！

たまに家族サービスをすれば効果絶大。

仕事の糧になりそうで楽しそうなことを見つけて、猛勉強するのも楽しいと思う。

――育児って最高に楽しいよ！

子どもってすごいよ！　無限の可能性があるのだから。その可能性をできるだけ多く見つけ育てるのは、楽しいよ。

それと、育児を通して、親は周囲の環境や人間関係の調整、子どもをかばったり、元気付けたり、同感したり、一緒に怒ったり。

こうしたことは、親の人間力を想像以上に高めると思う。
そして、何があっても私はあなたの味方と知らせよう。

――人のいいところを見つけたら口に出そうよ！

日本人は褒めるのが不得意。最近は褒める人が一見多くなったと思うが、「褒めるの、そこですか？」などと疑問に思うケースも多い。

ともに同じ目的を目指す会社でその力を発揮できるとき、その力を認めて声をかけよう。口に出しにくかったら、人を介してでもいい。

そうすれば会社全体が元気になる。

仕事一筋を任じ、強い独立志向で好き放題に走ってきた私であるが、改めて多くの仕事仲間の皆さんや、我が社のメンバーに深く御礼を申し上げたい。

そして、かけがえのない家族・ファミリーの全員に感謝！

特に、仕事におけるマネージャーであり家庭における妻・母親として、常にともにあってくれる佳子さん。彼女は仕事と家庭を切り離せない私にとって、その両面で全力を尽くして伴走してきてくれたまさに理想のパートナー。

かように恵まれた人生を与えられたことを喜び、これまで、私とマネージャーに関わってくださったすべての人に厚くお礼を申し上げる次第です。

最後に、本書の出版に際し、長期間にわたってご尽力をいただいた幻冬舎ＭＣの伊藤英紀編集長と、永山淳さんにこの場を借りて厚くお礼を申し上げます。

令和3年（2021年）冬

駒井俊之

駒井俊之（こまい　としゆき）

1944年愛知県生まれ。1967年、金沢大学工学部に新設されたばかりの電子工学科を二期生として卒業。強い独立志向を抱いて地元・名古屋の家電修理会社に就職。2年後に勢いで受注した教育機器開発を機に「一人事業部」として電子機器の製造・販売に没頭。10年後に電子機器システム部門を社内創設し、5つの事業を軌道に乗せる。1987年、勤続20年を機に独立を果たし、妻とともにITベンチャー企業・ネオレックスを創業。数々の独自製品の開発を手掛けてきた。厳しい経営環境の中でも仕事を目いっぱい楽しみ、多くの若手社員と、事業を承継した二人の息子たちのパワーで勤怠管理システムのトップシェアを獲得し安定経営に到達。2020年5月、株式会社ネオレックス代表取締役を退任した。

独立志向

昭和のITベンチャー起業家が語る仕事、家族、そして人生

2021年3月22日　第1刷発行

著　者　　駒井俊之
発行人　　久保田貴幸

発行元　　株式会社 幻冬舎メディアコンサルティング
〒151-0051　東京都渋谷区千駄ヶ谷4-9-7
電話　03-5411-6440（編集）

発売元　　株式会社 幻冬舎
〒151-0051　東京都渋谷区千駄ヶ谷4-9-7
電話　03-5411-6222（営業）

印刷・製本　瞬報社写真印刷株式会社

装丁　　弓田和則

検印廃止

Printed in Japan
ISBN 978-4-344-92810-7 C0034
幻冬舎メディアコンサルティングHP
http://www.gentosha-mc.com/